MAUVAIS LECTEURS
POURQUOI ?

PÉDAGOGIE D'AUJOURD'HUI
COLLECTION DIRIGÉE PAR GASTON MIALARET

MAUVAIS LECTEURS POURQUOI ?

JACQUES FIJALKOW

PRESSES UNIVERSITAIRES DE FRANCE

ISBN 2 13 039207 5

Dépôt légal — 1re édition : 1986, janvier
© Presses Universitaires de France, 1986
108, boulevard Saint-Germain, 75006 Paris

Sommaire

CHAPITRE PREMIER

La conception organiciste

1 | LE CONTEXTE

Le fait que la première théorisation des difficultés d'apprentissage de la lecture apparaisse au début du XXe siècle et soit de nature médicale n'est pas étonnant si l'on se réfère au contexte historique.

Un fait remarquable est que les premiers cas de sujets en situation d'échec grave dans l'apprentissage de la lecture (Kerr, 1896 ; Morgan, 1896), ceux qu'on appellera bientôt « dyslexiques », sont signalés quelques années seulement après que la scolarité a été rendue obligatoire (en 1881 en France). On ne saurait voir là une pure coïncidence.

Un second antécédent historique digne d'intérêt (voir les historiques de Critchley, 1974 ; Malmquist, 1973 ; Monaghan, 1980) est le fait que les concepts d'aphasie motrice (Broca, 1861), d'aphasie sensorielle (Wernicke, 1874), d'alexie (Kussmaul, 1877 ; Dejerine, 1892 ; Hinshelwood, 1895) ont été formulés quelques années avant l'énoncé des thèses neurologiques et génétiques sur les difficultés d'apprentissage de la lecture.

On comprend dès lors que ce contexte de développement de l'alphabétisation et d'élaboration de concepts neurolinguistiques ait favorisé l'émergence de théories médicales, et ce d'autant plus que dans les conditions de division technique du travail existant alors les enfants en difficulté dans l'apprentissage de la lecture ne pouvaient être adressés qu'à des médecins. C'est donc eux qui, les premiers, ont théorisé les phénomènes apparus avec la scolarisation de masse des enfants.

Les enfants signalés pour difficultés en lecture apparaissent, après examen, ne pas présenter par ailleurs de problèmes sur les plans sensoriel ou intellectuel. La présence de difficultés en lecture uniquement amène les auteurs à faire un cas particulier de ces enfants et à les distinguer également de ces autres enfants qui, ayant des difficultés dans toutes les autres disciplines fondamentales enseignées à l'école, sont considérés comme intellectuellement déficients et étiquetés « débiles mentaux ». Ces derniers constituent donc une autre catégorie qui fait également son apparition dans l'histoire en ce même moment (Binet et Simon, 1907).

Les médecins appréhendent les enfants éprouvant des difficultés spécifiques en lecture à l'aide de leurs schémas propres et les considèrent donc en un premier temps comme des malades. Plus précisément, ils assimilent cet objet nouveau pour eux à des objets étudiés antérieurement et, la dimension commune de la langue paraissant fondamentale, considèrent donc que le problème de ces enfants est de même nature que celui des aphasiques dont le concept vient d'être forgé. La conception selon laquelle il faut aller chercher dans le cerveau l'origine des difficultés à apprendre à lire est née.

Les auteurs que nous regroupons dans la catégorie « conception organiciste » s'accordent sur deux points. Le premier point d'accord est relatif à l'origine du problème des mauvais lecteurs[1] qui, pour eux, est neurologique ou héréditaire. Le second point d'accord, complémentaire du précédent, consiste en l'exclusion d'un certain nombre d'autres origines possibles. La définition suivante de la « dyslexie évolutive spécifique » établie

---

1. « Mauvais lecteur » est employé ici au sens de « enfant ayant des difficultés dans l'apprentissage de la lecture ». Ce terme vaut dans son opposition à « lecteur ordinaire », plutôt qu'à « bon lecteur » car, en pratique, ce dernier est souvent défini non par sa supériorité mais par le fait de ne pas poser de problèmes particuliers. L'expression « mauvais lecteur » est préférée à celle de « dyslexique » trop connotée théoriquement. Elle ne comporte en elle-même aucune valeur psychométrique définie.

par la Fédération mondiale de Neurologie en 1968 exprime bien
cette conception :

> « Trouble se manifestant par une difficulté à apprendre à lire en dépit
> d'un enseignement classique, d'une intelligence suffisante, et de facilités
> socioculturelles. Il relève d'inaptitudes cognitives fondamentales qui
> ont fréquemment une origine constitutionnelle » (Critchley, 1974, 44)[2].

Au-delà de cette double position de principe sur la nature
de ce qui est et de ce qui n'est pas à l'origine des difficultés
d'apprentissage de la lecture, les auteurs divergent. Partant
de cette conception, et au long d'un parcours bientôt centenaire,
nombre de théories ont été produites.

2 | L'ATTEINTE CÉRÉBRALE

2.1. – La thèse initiale

Le point de départ se trouve dans les études effectuées sur
les adultes alexiques[3]. L'autopsie *post mortem* conduite par
Déjerine (1892) sur un sujet alors âgé de plus de 70 ans révèle
l'existence de lésions corticales. De telles lésions apparaissent
également chez un patient de Hinshelwood (1917). Monaghan
(1980) rapporte que jusqu'en 1969 on ne dénombre que dix-sept
autopsies de patients souffrant d'alexie, mais que leurs résultats convergent remarquablement. Conformément aux positions
théoriques de la fin du siècle dernier en matière de pathologie
cérébrale, le siège de la lésion est considéré comme le centre de
la fonction perturbée. On postule donc l'existence d'un centre
de la lecture situé au lieu où des lésions ont été observées chez
les alexiques.

Partant donc de ce qui est un fait objectif pour l'adulte
alexique, la présence de lésions corticales responsables des
troubles lexiques, les médecins supposent un fait identique
chez les enfants ayant eux aussi des problèmes en lecture.
L'existence de cette filiation directe entre l'alexie et la dyslexie

---

2. Dans toute la mesure du possible les références comporteront le nom de
l'auteur, la date de publication et l'indication de la page.
3. « Alexie : Perte, par suite de lésion ou de maladie, du savoir-lire acquis antérieurement » (Harris et Hodgen, 1981).

apparaît dans une lettre adressée par Morgan, un des deux premiers médecins à avoir présenté un enfant comme dyslexique, à Hinshelwood, un des deux premiers médecins à avoir présenté un adulte comme alexique (voir Critchley, 1974, ou Monaghan, 1980). La relation directe entre les deux phénomènes est clairement marquée dans la terminologie en usage. Déjerine et Hinshelwood utilisant l'expression « cécité verbale » pour désigner leurs patients alexiques, l'expression « cécité verbale acquise » est employée pour les enfants ayant des difficultés dans l'apprentissage de la lecture.

Aujourd'hui ce postulat de lésions cérébrales chez l'enfant mauvais lecteur analogues à celles de l'adulte alexique ne connaît guère plus de défenseurs. Les arguments empiriques permettant de le soutenir font en effet totalement défaut. Il n'existe ni données directes :

> « Le manque de données d'autopsie est une lacune regrettable dans notre connaissance de la dyslexie d'évolution » (Critchley, 1974, 196),

ni données indirectes probantes selon Malmquist (1973, 17) :

> « Selon des résultats de recherches valables, aucune corrélation entre l'anormalité de l'EEG et les incapacités en lecture ne semble avoir été vérifiée » (Tymchuk, Knights et Hinton, 1970).

Les auteurs s'accordent par ailleurs pour considérer que les difficultés de lecture observées chez des enfants aphasiques ou infirmes moteurs cérébraux aux lésions avérées constituent un cas distinct de celui examiné ici.

2.2 – « Minimal Brain Damage »

Si sous sa forme radicale la thèse de la blessure cérébrale n'a plus cours, la thèse elle-même n'a pas été abandonnée. Elle apparaît aujourd'hui sous des formes plus modérées. L'expression française de « souffrance cérébrale minime » (Debray-Ritzen, 1978, 98) ne permet plus de percevoir cette continuité. En anglais, par contre, le passage de « *Brain Damage* » (lésion cérébrale) à « *Minimal Brain Damage* » où MBD (lésion cérébrale minime) marque le maintien du présupposé fondamental tout en indiquant un changement de degré. Cette expression, vigoureusement critiquée, a à son tour cédé le pas à celle de « *Minimal Brain Dysfunction* » (dysfonctionnement cérébral minime) (Mac Keith et Bax, 1963) qui, tout en maintenant le principe de l'origine cérébrale des difficultés d'apprentissage de la lecture, n'affirme pas de postulat lésionnel. C'est cette dernière forme qui est reconnue par les autorités américaines (Clements, 1966).

Le concept de MBD regroupe les cas de dysfonctionnement cérébral minime hypothétique considérés comme consécutifs à des événements fort divers de l'histoire de l'enfant tels que, suivant Debray-Ritzen (1978, 98) :

« La prématurité, la dysmaturité (enfant né à terme mais de petit poids), les difficultés de l'accouchement, les jaunisses sévères après la naissance, les épilepsies précoces, les traumatismes crâniens, etc. »

Selon le même auteur la dyslexie est un symptôme parmi d'autres du dysfonctionnement cérébral postulé. Le schéma qu'il établit (*ibid.*, 217) comporte, outre la dyslexie, les éléments suivants : instabilité motrice, immaturité motrice, petits signes neurologiques, retard de langage, EEG, action des amphétamines. Dans une liste établie par Karlin (1980, 104) on trouve : hyperactivité, déficiences perceptivo-motrices, défauts de coordination, désordre de l'attention, impulsivité, désordres de la mémoire et de la pensée.

La thèse considérant la dyslexie comme une manifestation d'un dysfonctionnement cérébral minime demande alors à être confrontée aux faits.

Le concept de MBD est opérationnalisé par Wender (1971) à l'aide d'un questionnaire rempli par les parents. Ce questionnaire comporte quatorze items. Chaque item comporte une échelle en cinq points allant de l'absence du comportement évalué à sa présence à un degré extrême. Les quatorze items sont les suivants :

1. Difficultés à courir, sauter, bondir.

2. Difficultés d'équilibre, par exemple à apprendre à faire du vélo.

3. Difficultés à découper avec une paire de ciseaux, à boutonner des boutons, à attacher des lacets de chaussure.

4. Difficultés à envoyer et à attraper un ballon.

5. Difficultés à recopier exactement des dessins, des lettres ou des mots écrits.

6. Difficultés à reconnaître par la vue, le toucher, l'odorat ou le mouvement.

7. Activité motrice excessive, passe d'une activité à l'autre.
8. Incapacité à participer par suite de défauts d'attention et de concentration.
9. Durée d'attention faible.
10. Manque de persévérance.
11. Seuil de frustration bas.
12. Incapacité à retarder ou à contrôler ses impulsions.
13. Destructeur.
14. Agressif.

L'analyse factorielle permet de distinguer les items *1* à *5* correspondant à un facteur de coordination perceptivo-motrice et les items *7* à *12* correspondant à un facteur de contrôle des impulsions.

Le constat brut d'une association entre MBD et difficultés d'apprentissage de la lecture ne paraît pas faire problème. Rugel (1978), par exemple, montre l'existence de différences significatives entre le score obtenu par un groupe de mauvais lecteurs et un groupe de lecteurs ordinaires pour chacun des deux sous-ensembles du questionnaire de MBD de Wender (1971).

Une première difficulté apparaît dès lors que, affinant le plan expérimental, on se propose d'éliminer certaines variables non contrôlées d'ordinaire et qui sont susceptibles d'avoir un effet sur la lecture. Rutter, Graham et Birch (1966) par exemple constatent qu'en maintenant constants l'âge et le QI on ne trouve plus de relation entre MBD et retard en lecture. Edwards, Alley et Snider (1971) montrent également qu'en contrôlant l'âge chronologique et le niveau d'intelligence psychométrique il n'y a pas de relation significative entre les symptômes de MBD (évalués sur une base neuropédiatrique et/ou le test visuomoteur de Bender) et les variables académiques.

Ces résultats expérimentaux amènent Rourke, dans une récente revue de questions consacrée à la recherche neuropsychologique et aux retards en lecture, à déclarer que :

« Ce syndrome semble plus directement lié à l'âge qu'à un retard spécifique en lecture » (1979, 147).

Le neurolinguistique Kinsbourne remarque pour sa part que :

« Tous les indicateurs de MBD représentent l'état normal des choses chez les jeunes enfants » (1973).

Le MBD, mis en question par ces recherches, l'est également
du fait de l'absence dans la littérature spécialisée de toute
preuve anatomique directe d'atteintes cérébrales minimes.
Ce point est affirmé par Critchley (1974, 187) :

> « Toute théorie d'une lésion minime du cerveau qu'elle ait été, ou non,
> subie *in intero*, est (...) peu vraisemblable... On n'a jamais de fait trouvé
> de pathologie cérébrale dans aucun cas de dyslexie d'évolution (...) en
> l'absence totale de tout matériel d'autopsie. »

On retrouve cette affirmation dans une adresse de Chiland
à Lhermitte lors d'une table ronde du colloque « Apprentissage
et pratique de la lecture à l'école » à laquelle participait également Debray-Ritzen :

> « Comment vous (je m'adresse au Pr Lhermitte), neurologue, acceptez-
> vous une telle expression, quand elle ne correspond à aucun trouble
> neurologique décelable ? Et qu'elle correspond uniquement à une entité
> décrite à partir de troubles psychologiques variables chez les enfants »
> (Chiland, 1979, 105).

Kalverboer estime pour sa part que :

> « Beaucoup d'études de MBD manifestent des erreurs, telles que celles-ci :
>
> 1) groupes biaisés ; groupes d'enfants référés à des consultations
>   externes par suite de troubles du comportement ou de difficultés
>   d'apprentissage ;
> 2) critères de lésion cérébrale ou de dysfonctionnement cérébral douteux ;
> 3) manque de standardisation des méthodes d'examen neurologique
>   et du comportement ;
> 4) calcul de corrélation entre données provenant d'évaluations diffé-
>   rentes ;
> 5) mise en relation des soi-disant « petits » signes neurologiques mal
>   définis avec des troubles complexes du comportement » (1979, 180).

2.3 – Antécédents prénataux, périnataux et néonataux

Les auteurs favorables à la thèse du MBD considèrent souvent que celui-ci est causé par des événements précoces de la
vie de l'enfant. Le raisonnement sous-jacent est que les accidents prénataux, périnataux et néonataux provoquent un
dommage cérébral qui est responsable des difficultés rencontrées par la suite par l'enfant lors de l'apprentissage de la
lecture. La recherche d'une relation entre de tels accidents et
les difficultés d'apprentissage de la lecture a été étudiée suivant
trois méthodes principalement.

La première de ces études est due à Kawi et Pasamanick (1959). Elle consiste en une comparaison des mentions portées sur les registres d'hôpital lors de leur naissance pour 205 garçons blancs ayant un retard de deux ans de lecture au moment de la recherche avec celles de 205 lecteurs ordinaires nés dans les mêmes hôpitaux et appariés aux premiers par le sexe, l'origine ethnique et l'âge de la mère. La comparaison fait apparaître une plus grande fréquence dans le groupe expérimental de cas de dysmaturité (poids inférieur à 2 500 g) ainsi que de problèmes en cours de grossesse et lors de l'accouchement.

La méthode régressive à laquelle Kawi et Pasamanick ouvrent ainsi la voie consiste, pour un échantillon de mauvais lecteurs donné, à aller à la recherche d'éventuels accidents prénataux, périnataux et néonataux et à comparer la fréquence de ceux-ci à celle d'un groupe témoin constitué de lecteurs ordinaires. Cette méthode a donné lieu, à notre connaissance, à 11 recherches analysées par Balow, Rubin et Rosen (1975-1976) et à une recherche ultérieure de Rugel (1978). De ces 12 recherches 7 concluent à l'existence d'une relation entre difficultés d'apprentissage de la lecture et faible poids à la naissance ou complications en cours de grossesse ou lors de la naissance, mais 5 d'entre elles n'aboutissent pas à une telle conclusion. On ne peut donc considérer cette relation comme un fait établi.

Ces études rétrospectives souffrent par ailleurs de faiblesses méthodologiques qui ont suscité de nombreuses critiques. L'une d'entre elles a trait au crédit que l'on peut accorder aux sources d'information sur lesquelles elles se fondent. C'est ainsi que les données médicales figurant sur les registres d'hôpital n'ayant pas été établies à des fins de recherches apparaissent aux chercheurs incomplètes, imprécises sinon illisibles, et posent des problèmes de fidélité et de validité.

D'autres chercheurs préfèrent donc prendre le témoignage maternel comme source d'information, mais les souvenirs évoqués apparaissent également incertains. Wenar (1963) et Jordan (1967) mettent en évidence l'existence de distorsions systématiques dans ces témoignages. Celles-ci vont dans le sens d'une conformité aux normes culturelles et dépendent même du sexe de la personne qui conduit l'entretien. Toutefois Rugel (1978) montre que les pourcentages d'événements rapportés sont comparables quelle que soit la source d'information utilisée. Ceci permet de réhabiliter quelque peu la valeur des témoignages maternels par rapport aux sources médicales, mais ne résout pas le problème global de la validité des données obtenues à l'issue d'une démarche régressive.

Une autre méthode de travail pour étudier la même hypothèse consiste à partir non plus d'un groupe de mauvais lecteurs et à chercher ses éventuels antécédents médicaux, mais à partir d'un groupe de sujets d'âge scolaire ayant eu de tels antécédents et à comparer leurs résultats en lecture à ceux d'un groupe semblable n'ayant pas eu de difficultés dans la période natale. Les registres médicaux constituent encore la source d'information utilisée par les chercheurs pour constituer les deux groupes.

Deux des trois recherches ainsi réalisées font état de différences favorables à l'hypothèse du rôle de facteurs prénataux, périnataux ou néonataux, mais Balow *et al.* (1975-1976) qui rapportent ces travaux estiment que les faiblesses du plan expérimental des deux études concluantes (échantillonnage, critères de définition des mauvais lecteurs) ne permettent pas d'accepter leurs conclusions.

La troisième méthode, qui suit un plan progressif, permet d'éviter certains travers des deux autres. Les données d'ordre médical sur lesquelles repose la recherche sont en effet constituées dès le départ en vue de celle-ci et comportent donc toutes les précisions utiles permettant de constituer sans ambiguïté un groupe expérimental dont les enfants ont connu des difficultés dans la période natale et un groupe témoin qui n'a pas connu ce type de difficultés. Quelques années plus tard les deux groupes sont comparés dans des épreuves de lecture.

Les 13 études conduites suivant ce plan et analysées par Balow *et al.* (1975-1976) conduisent ces derniers à la conclusion que cette méthode de recherche est dans l'ensemble fructueuse puisque les auteurs, dans la majorité des cas, parviennent à trouver des différences petites mais significatives entre les deux groupes, particulièrement en ce qui concerne le poids à la naissance.

Si les faits apportés par les trois méthodes indiquent de manière convergente qu'il existe le plus souvent une légère tendance favorable à l'hypothèse, il importe pourtant de demeurer prudent quant aux conclusions à en tirer.

Il apparaît en effet que les recherches effectuées appellent une importante réserve d'ordre méthodologique relative au mode de constitution des échantillons puisque l'examen des plans d'expérience montre que, dans bon nombre de recherches, le milieu social des sujets n'est pas pris en considération lors de la constitution des deux groupes. Or, on sait d'une part que les mauvais lecteurs sont plus souvent que les lecteurs ordinaires issus d'un milieu social défavorisé (voir annexe 1) et, d'autre part, que les difficultés prénatales, périnatales et néonatales apparaissent plus souvent dans les milieux sociaux défavorisés (Pasamanick et Knobloch, 1957-1958 ; Knobloch et Pasamanick, 1960 ; Eisenberg, 1966). Les différences constatées entre les deux groupes peuvent donc aussi bien être imputées à des facteurs sociaux qu'aux variables neurologiques invoquées par les auteurs.

On s'aperçoit par exemple que dans les études les plus récentes conçues selon la première méthode (mauvais lecteurs/ lecteurs ordinaires) dans lesquelles cette variable est contrôlée par appariement des groupes expérimental et contrôle, soit les différences sont peu marquées (Lyle, 1970), soit elles n'apparaissent pas (Hunter et Johnson, 1971 ; Rugel, 1978). Il en va de même dans le cas des études régressives suivant la seconde méthode (antécédents nataux/pas d'antécédents) : quand les deux groupes sont appariés suivant le milieu social on n'observe pas de différences dans l'apprentissage de la lecture (Caplan, Bibace et Rabinovich, 1963). Ce phénomène apparaît également dans les études conduites suivant la méthode progressive.

Le second argument à prendre en considération est relatif à la portée quantitative des différences trouvées. Il importe à ce propos de ne pas perdre de vue que des différences statistiquement significatives n'impliquent pas nécessairement une fraction numériquement importante de l'échantillon examiné. Tel est le cas par exemple, dans l'étude princeps de Kawi et Pasamanick (1959), des saignements de la mère au cours du premier trimestre de la grossesse. Ceux-ci sont manifestes chez 10,3 % des mères de mauvais lecteurs et 3,4 % des mères de lecteurs ordinaires. La différence est très significative mais son importance en référence à la population totale des apprentis lecteurs n'en est pas moins médiocre. Pour estimer donc la portée explicative des accidents prénataux, périnataux et néonataux relativement aux difficultés d'apprentissage de la lecture il faut se garder de perdre de vue que les pourcentages relativement élevés chez les mauvais lecteurs sont établis sur la sous-population des mauvais lecteurs et non sur la population totale des apprenants. Les mauvais lecteurs n'étant qu'une fraction de la population totale, les pourcentages calculés en tenant compte de cette fraction apparaissent dès lors beaucoup moins importants. Il ne saurait s'agir, au bout du compte, en pourcentage de la population totale, que d'un nombre limité d'enfants.

2.4 – Les indices psychophysiologiques

Sans supposer de blessure cérébrale ni adhérer à l'hypothèse de MBD, certains auteurs cherchent dans des indices psychophysiologiques la preuve empirique de troubles cérébraux qui pourraient être tenus pour responsables des difficultés d'apprentissage de la lecture.

2.4.1 – Electro-encéphalogramme (EEG).

— L'existence d'anomalies dans l'EEG d'enfants diagnostiqués comme dyslexiques pourrait constituer une preuve indirecte de dysfonctionnement cérébral. Plusieurs études rapportées par Vernon (1971, 154) concluent positivement en ce sens. La revue de travaux de Benton et Bird (1963) citée par Vernon indique pourtant que la fréquence d'EEG anormaux varie d'une étude à l'autre de 28 à 88 %, variation dont l'importance limite le crédit que l'on peut attacher à l'indice que constitue l'EEG. De la même façon, les revues de travaux de Freeman (1967) portant sur quelque cinquante travaux ainsi que celles de Paine, Werry et Quay (1968), puis de Ross (1976), mettent tour à tour en doute l'objectivité de la validité de l'EEG dans le cas considéré.

2.4.2 – Potentiels Visuels Evoqués (PVE).

— Plus récemment, quatre publications font état de différences de potentiels visuels évoqués entre enfants considérés comme dyslexiques et enfants témoins. Les électrodes placées au niveau des lobes occipital et pariétal des deux hémisphères font apparaître des différences au seul niveau du lobe pariétal gauche (Conners, 1970 ; Preston, Guthrie et Childs, 1974 ; Preston, Guthrie, Kirsch, Gertman et Childs, 1977 ; Symann-Lovet, Gascon, Matsumiya et Lombroso, 1977).

Les résultats ne sont pas présentés par leurs auteurs comme des preuves de dysfonctionnement cérébral, mais comme des indices psychophysiologiques parallèles aux critères ayant permis la constitution de groupes distincts. Weber et Omenn (1977) critiquent Preston *et al.* (1974) auxquels ils reprochent de n'avoir pas effectué de comparaison interhémisphérique et de ne pouvoir conclure par conséquent à l'existence de différences entre sujets expérimentaux et témoins qui peuvent être aussi bien dues à un niveau de réponse général plus bas des mauvais lecteurs. Weber et Omenn ne trouvent pas par ailleurs de différences de potentiel visuel évoqué entre mauvais lecteurs et lecteurs ordinaires appartenant à une même famille, contrairement à ce que l'hypothèse organiciste amènerait à supposer. On peut craindre par ailleurs que les potentiels visuels évoqués ne reflètent ni l'acte lexique dans sa totalité, ni sa dimension sémantique, mais sa seule dimension phonique. C'est ce que nous amène à penser l'expérience de Hink, Kaya et Suzuki (1980).

Cette expérience exploite le fait que les Japonais disposent de deux systèmes d'écriture dont l'un, le *kanji*, est idéographique et l'autre, l'*hiragana*, est phonique, plus précisément syllabique. Exprimant un même contenu sous deux formes écrites différentes, les auteurs ont recueilli les potentiels visuels évoqués à la lecture de celles-ci pour un groupe d'étudiants. Il apparaît alors que les potentiels visuels évoqués diffèrent selon la nature de l'écrit présenté. Cette expérience, utilisant la même technique psychophysiologique avec des sujets sans troubles de lecture, s'ajoute aux nombreuses données (voir Jorm, 1979) qui amènent à penser que le lobe pariétal gauche est concerné essentiellement par la dimension phonique de l'acte lexique. Ceci relativise la portée des conclusions que l'on peut tirer des expériences faisant état de différences de potentiel visuel évoqué entre mauvais lecteurs et lecteurs témoins.

On ne peut donc dire que la thèse d'un dysfonctionnement minime du cerveau dispose de bases solides. L'absence de preuves directes, les difficultés méthodologiques que soulèvent les preuves indirectes ne permettent pas de la considérer pour l'heure comme fondée. L'étude des potentiels visuels évoqués vient prendre le relais des espoirs déçus par l'étude de l'EEG. Les expériences réalisées, si elles permettent d'affirmer une différence et de confirmer une localisation (Jorm, 1979), n'autorisent en aucun cas à conclure à une relation de causalité.

2.4.3 – Ataxiamétrie. — Une autre voie d'approche des difficultés d'apprentissage de la lecture dans une optique neurologique est celle de Kohen-Raz, Hiriatborde et divers auteurs (Bibeljac-Babic, Hiriatborde, Kohen-Raz, 1981 ; Kohen-Raz, 1970, 1972 ; Kohen-Raz, Hiriatborde, 1979 ; B. Zazzo, 1978) qui, dans des travaux réalisés notamment au laboratoire de R. Zazzo, et bien que ne se référant pas au MBD, reposent néanmoins sur des présupposés théoriques analogues.

Dans ces études, que les auteurs présentent comme exploratoires (Bobeljac-Babic *et al.*, 1981 ; Kohen-Raz *et al.*, 1979), la recherche des insuffisances neurologiques postulées s'effectue par posturographie et principalement par ataxiométrie (ou, selon le texte, ataxiamétrie). L'appareil utilisé, l'ataxiomètre, enregistre les pressions résultant des attitudes d'un sujet debout en équilibre statique dans différentes positions (sur un pied ou sur deux, yeux ouverts ou fermés, pieds au même niveau ou décalés, l'un étant plus en avant que l'autre).

Les indices recueillis dans ces conditions apparaissent généralement en corrélation avec les résultats obtenus dans des tests de lecture par des enfants considérés comme « dyslexiques » (Kohen-Raz, 1972) ou psychologiquement « instables » (Bibeljac-Babic *et al.*, 1981) selon le test de Davids (1971). Un calcul synthétique portant sur huit échantillons fort divers (pays, langue, type de problèmes, milieu social, âge) provenant d'études antérieures confirme cette corrélation.

L'interprétation théorique de ces résultats, peu affirmée jusqu'en 1979 (Kohen-Raz et Hiriatborde), hormis son orientation privilégiée vers une théorisation de type neurologique, se précise dans la dernière publication (Bibeljac-Babic *et al.*, 1981). L'éventualité d'une insuffisance oculo-motrice y est en effet suggérée avec insistance. Pour avancer cette précision, les auteurs se fondent principalement sur l'existence de corrélations significatives entre le score d'instabilité psychologique et les indices d'équilibre dans la seule situation où le sujet a les yeux fermés. Ces recherches sont intéressantes par l'originalité des variables mesurées et leur degré de sophistication technique. Pourtant, en leur état actuel, et comme les recherches plus nombreuses utilisant des indices classiques, elles ne permettent guère d'aller au-delà d'une corrélation entre difficultés d'apprentissage de la lecture et indices posturaux. L'hypothèse d'insuffisance oculo-motrice repose pour l'instant sur une étude que les auteurs disent de « caractère exploratoire ». Cette étude portant sur un échantillon limité (12 sujets) peu contrôlé (milieu social non précisé, âges allant de 5,6 à 12,6) et ne comportant pas de groupe témoin constitue une « perspective de travail » dont la conclusion n'affirme d'ailleurs pas la prééminence. Elle ne saurait donc, pour l'heure, être considérée comme établissant un fait à porter au crédit de la position organiciste.

A travers ses formes successives (lésion cérébrale analogue aux lésions alexiques, lésion cérébrale minime, ou dysfonctionnement cérébral minime), et l'analyse d'indices psychophysiologiques (eeg, potentiels évoqués, facteurs anténataux, périnataux et néonataux, ataxiamétrie), la thèse neurologique affirme la permanence de la conviction selon laquelle des difficultés d'apprentissage de la lecture ont pour origine une atteinte du cerveau, mais ne parvient pas à asseoir cette position sur des faits convaincants. Cette atteinte est généralement considérée comme acquise, résultat d'un accident dans l'histoire de l'enfant, et ce trait différencie la thèse neurologique de la thèse de l'hérédité que nous allons examiner maintenant.

3 | L'HÉRÉDITÉ

Cet autre courant de la position organique considère que les difficultés d'apprentissage de la lecture sont innées, de nature constitutionnelle. Il applique ce faisant à la lecture un concept dont on sait de quel espoir la pensée explicative du xixᵉ siècle l'a chargé. On sait aussi l'intérêt que lui portent de tradition les chercheurs de formation médicale.

Très tôt dans l'histoire de la recherche sur les difficultés d'apprentissage de la lecture on oppose à « cécité verbale acquise » les expressions de « cécité verbale congénitale » ou « constitutionnelle ». L'identité fondamentale des deux phénomènes est marquée par l'usage commun de « cécité verbale » et la différence par les qualificatifs de « acquise » *versus* « congénitale » ou « constitutionnelle ». Ces dernières formulations expriment la conviction que la dyslexie est de même nature que l'alexie mais que, à la différence de celle-ci, elle est donnée de naissance.

Certains auteurs aujourd'hui considèrent qu'il existe deux origines distinctes aux cas de dyslexie, l'une acquise et l'autre génétique, et peu de cas relevant à la fois de l'une et de l'autre (Debray-Ritzen, 1978, 98). Debray-Ritzen (1979, 92) fait état d'une statistique portant sur 200 consultants. Les cas diagnostiqués MBD s'élèvent à 26 %, pour 62 % de cas considérés comme d'origine génétique, avec un recouvrement de 14 %, et de 20 à 25 % de cas dont l'étiologie est inconnue.

D'autres auteurs nient l'existence d'une origine acquise sauf cas très exceptionnels, et renvoient la causalité à des facteurs constitutionnels. Ainsi Critchley (1974, 185-186) affirme-t-il que :

« La dyslexie est (...) un problème constitutionnel et inné »

et, après avoir évoqué d'autres origines possibles, déclare-t-il :

« Mais tout cela n'est qu'épiphénomène ou reste hors du sujet. »

3.1 – La famille

La recherche d'antécédents familiaux chez les enfants diagnostiqués comme dyslexiques est une première voie susceptible d'apporter des arguments en faveur de la thèse de l'hérédité.

Finucci, Guthrie, Childs, Abbey et Childs (1976) rapportent que des familles ont fait l'objet d'observations dès le début du XXᵉ siècle par Thomas (1905), Fisher (1905), Stephenson (1907), Hinshelwood (1907), que Orton (1930) a montré l'existence de séries dans un travail portant sur huit familles, et que Eustis (1947) a mis en évidence une histoire familiale de difficultés en langue parlée ou écrite chez 16 des 21 familles de mauvais lecteurs qu'il a examinées.

L'étude la plus souvent citée, par suite notamment de son étendue (112 familles examinées), est celle d'Hallgren (1950).

Hallgren indique que 160 des 391 parents et collatéraux ont des problèmes de lecture, que dans 3 des 112 familles le père et la mère sont affectés, dans 90 un des deux parents, et dans 19 ni le père ni la mère. Des recherches ultérieures sont évoquées par Debray et Mattlinger (1968). Debray-Ritzen indique par ailleurs les résultats obtenus dans trois enquêtes qu'il a dirigées :

« La première, en 1966, portant sur 110 enfants a relevé 53,6 % d'antécédents familiaux (trouvant 7 % d'antécédents familiaux dans une série témoin)[4]. La seconde, en 1971, portant sur 108 enfants, a relevé 52 % d'antécédents familiaux. La troisième, en 1979, portant sur 200 enfants a relevé (en associant les antécédents de langage oral) un pourcentage de 62 % d'antécédents familiaux autour des petits dyslexiques » (Debray-Ritzen, 1979, 202).

Une investigation plus fine a été effectuée par Finucci *et al.* (1976) à partir de 20 enfants présentant des difficultés spécifiques en lecture. L'étude des adultes comporte non seulement une détermination précise du niveau d'études, mais aussi la passation de tests d'intelligence et de lecture. Les résultats font apparaître que 45 % des 75 parents et collatéraux manifestent des problèmes spécifiques de lecture. Dans 3 des 16 familles pour lesquelles on dispose de résultats complets, le père et la mère sont affectés, dans 10 autres un parent seulement, et dans 3 aucun des deux parents.

Ajoutons également que la plupart de ces recherches d'antécédents familiaux témoignent d'un souci de définition des modes de transmission génétique et comportent des hypothèses à ce sujet. L'étude de De Fries, Singer, Foch et Lewitter (1978) a pour but d'élargir la recherche de Finucci *et al.* (1976) en utilisant un échantillonnage plus vaste tout en en conservant la rigueur méthodologique. Les auteurs ne procèdent pas pour ce faire à la recherche d'antécédents familiaux mais à la mise en évidence des différences. C'est ainsi qu'un échantillon de 125 enfants présentant des problèmes de lecture, leurs parents au premier degré et leurs frères et sœurs sont examinés, ainsi qu'un échan-

---

4. Les résultats détaillés publiés dans Debray et Mattlinger (1968) font apparaître (p. 5280) que les antécédents familiaux dans le groupe témoin s'élèvent non pas à 7 mais à 25,6 %.

tillon témoin de 125 enfants avec leur famille, soit 1 044 sujets au total. L'appariement repose sur l'âge, le sexe, le niveau scolaire, l'école, l'environnement du foyer mais le niveau d'études des parents témoins est significativement supérieur à celui des parents des mauvais lecteurs. Les deux échantillons sont soumis à 17 épreuves standardisées (mathématiques, lecture-reconnaissance, lecture-compréhension, écriture, QI non verbal, habileté spatiale...). Les analyses de variance indiquent que la plupart des différences entre enfants mauvais lecteurs et contrôles, ou entre leurs parents, sont significatives. Les résultats sont moins nets entre frères et sœurs des mauvais lecteurs et frères et sœurs des enfants contrôlés.

Les résultats obtenus par les différents auteurs convergent donc pour montrer qu'un enfant ayant des difficultés dans l'apprentissage de la lecture n'est pas un phénomène isolé dans sa famille car très rares sont les cas où de telles difficultés apparaissent pour la première fois dans la famille. En fait, le cas le plus fréquent est celui où les difficultés de l'enfant viennent à la suite de difficultés analogues de l'un ou l'autre des parents, très rarement des deux. Peut-on pour autant en conclure que les difficultés de l'enfant sont d'origine génétique ?

Sans ouvrir ici le dossier difficile de l'hérédité et du milieu, on peut poser pour principe avec P. Oléron que :

> « Il n'existe aucun moyen, pas plus en psychologie qu'en biologie, d'atteindre directement l'hérédité » (P. Oléron, 1974, 60),

et que l'étude des lignées familiales ne saurait donc être considérée comme une méthode pure d'administration de la preuve héréditaire.

Ce même principe est affirmé par divers intervenants dans la quatrième table ronde du colloque « Apprentissage et pratique de la lecture à l'école » (1979) :

> « Je suis très proche de ce qui a été émis, à savoir que le résultat dans toute tâche est un résultat qui met en cause et l'inné et l'acquis, tout à fait d'accord là-dessus au point même que tous les généticiens s'accordent actuellement pour penser qu'il est impossible de faire la part de l'inné et de l'acquis chez l'homme » (Lhermitte, 1979, 100).
>
> « La querelle entre M. Debray-Ritzen et moi concerne simplement ce qui me semble une certaine légèreté : attribuer à des gènes des traits qui sont peut-être génétiques, mais pour lesquels on n'a pas le moindre début de preuve ; ce n'est pas parce qu'un trait se présente par accumulation familiale qu'il est génétique » (Jacquard, 1979, 110).

Les résultats observés dans les recherches rapportées ci-dessus peuvent aussi bien être dus à des facteurs d'environnement qu'aux facteurs génétiques invoqués, ou à une combinaison des deux. Le fait que les études publiées contrôlent insuffisamment les facteurs d'environnement (par exemple De Fries *et al.* (1978) ne contrôlent pas le niveau d'études des parents) ne permet pas d'attribuer sans plus à des facteurs génétiques la responsabilité de ces résultats.

On peut se demander en particulier ce que recouvre la comparaison des performances scolaires de générations différentes, compte tenu des différences considérables entre les conditions de scolarisation propres à chacune d'elles (plus ou moins grande tolérance à l'égard de l'absentéisme par exemple). L'importance des mouvements de migration des populations lors de cette période historique (exode rural, migrations vers les pays industrialisés) amène à penser que les conditions d'apprentissage de la lecture ont été très différentes pour un enfant donné de celles de ses parents et de celles de ses grands-parents.

On ne peut qu'être frappé par ailleurs de l'imprécision du recueil des données dans la quasi-totalité des études publiées. Ainsi Finucci *et al.* (1976) mettent-ils en question la valeur des conclusions de Hallgren, partant du fait que les informations à partir desquelles il a travaillé sont pour l'essentiel des résultats scolaires et des histoires personnelles. Debray et Mattlinger (1968) précisent que leur étude procède à partir d'une feuille spéciale comportant des renseignements fournis le plus souvent par la mère sur les différents membres de la famille. L'attribution aux parents d'un diagnostic de dyslexie sur de telles bases et, en particulier en l'absence de toute leximétrie, nous paraît être une entreprise singulièrement hasardeuse conduisant à des résultats peu fiables. Seuls les travaux de Finucci *et al.* (1976) et De Fries *et al.* (1978) présentent des garanties d'objectivité sur ce plan mais leur négligence à l'égard des facteurs d'environnement ne permet pourtant pas de retenir une interprétation génétique des faits. De Fries *et al.* (1978), quoique favorables à cette interprétation, reconnaissent d'ailleurs qu'elle ne peut être affirmée.

En leur état actuel, les études portant sur les lignées familiales apportent peu de données à l'hypothèse d'un déterminisme héréditaire des difficultés d'apprentissage de la lecture.

3.2 – Les jumeaux

L'étude des jumeaux est un second moyen utilisé pour défendre la thèse favorable à une origine héréditaire des difficultés d'apprentissage de la lecture.

Les recherches partent du principe que l'équipement génétique est, chez des jumeaux homozygotes, plus semblable que ce n'est le cas chez des jumeaux hétérozygotes. Si l'hérédité joue un rôle, l'apparition de difficultés chez un jumeau monozygote s'accompagnera dès lors plus souvent de difficultés chez l'autre jumeau que ce ne sera le cas dans un couple de jumeaux hétérozygotes. C'est la méthode des concordances.

Herman (1959), synthétisant les travaux de Hallgren et Norrie à ce sujet, trouve une concordance totale pour 12 paires de jumeaux monozygotes et seulement 11 cas de concordance pour 33 paires de jumeaux hétérozygotes, soit une concordance de 23 %.

Debray-Ritzen (1979, 202) fait état d'une revue faite en France en 1969 établissant une concordance de 100 % pour les 18 paires de jumeaux monozygotes rencontrés, dont 4 dans son service.

Le travail de Bakwin (1973), souvent cité dans la littérature, indique une concordance de 84 % pour 31 paires de monozygotes et de 29 % pour 31 paires d'hétérozygotes dans un échantillon constitué par ses soins.

Il apparaît donc que la concordance entre jumeaux monozygotes est nettement supérieure à celle que l'on observe entre jumeaux hétérozygotes. Voir dans cette différence la seule marque de facteurs héréditaires est cependant hasardeuse pour les raisons d'ordre général énoncées plus haut et pour des raisons particulières.

En ce qui concerne ces dernières la lecture des publications montre que la méthode des jumeaux n'est en fait guère développée. Les études sont rares et le nombre de cas recensés peu nombreux. La démarche est fruste : la comparaison brute entre jumeaux monozygotes et hétérozygotes qui la constitue en totalité contraste fortement avec la richesse en degrés des

études de même inspiration portant sur l'intelligence. On peut
citer à ce propos la synthèse de 56 publications effectuées par
Erlenmeyer-Kimling et Jarvik (1963) qui classe les résultats
en 10 catégories : jumeaux monozygotes élevés séparément
ou ensemble, dizygotes de sexe opposé ou de même sexe, frères
et sœurs élevés séparément ou ensemble, parents-enfants,
parents-enfants adoptifs, non apparentés élevés séparément ou
élevés ensemble.

La seule étude extensive dont on dispose, celle de Bakwin
(1973), donne par ailleurs l'impression de superficialité qui est
le risque d'une étude effectuée sur une grande échelle. Les
338 paires de jumeaux recensées sont disparates : leur âge varie
de 8 à 18 ans et l'homogénéité sociologique est caractérisée,
sans autres précisions par la formule : « familles à revenus
moyens résidant dans un rayon de 75 milles de la ville de New
York ». Le recueil des données paraît peu standardisé : « entretiens avec les parents, complétés au téléphone et par questionnaires envoyés par la poste ». Plus gênant encore, le diagnostic
de dyslexie ne repose sur aucun critère objectif. Bakwin indique
seulement qu' « une histoire des difficultés en lecture a été
obtenue pour 97 des 676 paires de jumeaux ».

Si le taux d'enfants ayant des problèmes en lecture (97/676)
ne paraît pas excessif, celui de « dyslexie » paraît par contre
fort élevé (62/97).

Les résultats fournis par la méthode des jumeaux, telle
qu'elle a été appliquée jusqu'à présent, ne nous semblent pas
permettre plus qu'un soupçon quant à l'intervention de facteurs
héréditaires dont la spécificité par rapport à l'intelligence méri-
terait par ailleurs d'être évaluée dans les études à venir.

3.3 – Le sexe

Le troisième support à la thèse d'une origine génétique
des difficultés d'apprentissage de la lecture fait référence à
d'éventuelles différences entre garçons et filles dans ce domaine.
Debray-Ritzen et Melekian (1970), par exemple, font une ana-
logie entre dyslexie et homophilie. L'homophilie étant une
maladie à peu près exclusivement masculine mais qui est trans-
mise par les femmes, on pourrait considérer que si les difficultés
en lecture affectent surtout les garçons, celles-ci suivent le même

mode de transmission que l'hémophilie. On aurait donc là un argument en faveur de la thèse de l'hérédité.

La question des différences en lecture entre garçons et filles a donné lieu à de nombreuses recherches. Elles portent sur des enfants d'âge préscolaire ou scolaire. Les informations sont recueillies dans des épreuves de prélecture (« prérequis ») ou de lecture proprement dite, mais aussi dans des apprentissages de laboratoire. D'autres encore consistent en observations du comportement en situation scolaire.

Les comparaisons inter-sexe permettent de répartir la masse des conclusions en deux catégories sensiblement égales : une moitié conclue à l'absence de différences entre garçons et filles, tandis que l'autre moitié met en évidence des résultats significativement moins bons des garçons. En bref donc, s'il existe une différence, elle est défavorable aux garçons (pour une présentation détaillée de ces travaux voir Fijalkow, 1973).

Ces résultats ne nous semblent guère correspondre à ceux que l'on attendrait à partir d'une thèse héréditaire : la tendance constante, à tous les niveaux, à montrer les garçons en plus mauvaise position que les filles y fait obstacle.

Dans le cas des échantillons tout-venant, composés donc pour l'essentiel de lecteurs ordinaires, on ne devrait pas observer une telle différence. Dans la mesure en effet où il est posé que les dyslexiques ne constituent qu'un faible pourcentage de la population (8 % selon Duane repris par Debray-Ritzen, 1978), et sachant qu'une fraction importance de ceux-ci est scolarisée dans des classes spéciales exclues des populations examinées jusqu'ici (la plupart des travaux étant anglo-saxons), le nombre infime qu'ils constituent dans un échantillon tout-venant ne saurait suffire à expliquer les différences observées. On ne devrait guère trouver d'écart entre garçons et filles dans une population ordinaire.

Si l'on considère ensuite les échantillons constitués d'enfants en difficulté en lecture, on s'aperçoit que le pourcentage de garçons augmente avec le degré de gravité des troubles. Ce pourcentage croît même quand on passe de la frange des plus mauvais lecteurs des populations ordinaires aux échantillons sélectionnés dans leur ensemble.

La différence inter-sexe apparaît dès lors comme une variable continue et ceci va à l'encontre de la position héréditariste suivant laquelle la dyslexie est un phénomène discret. On ne peut donc tirer parti des différences inter-sexes pour plaider en faveur d'une thèse de l'hérédité des difficultés d'apprentissage de la lecture.

4 | LE RETARD DE MATURATION

La troisième thèse inspirée par la position organique, thèse selon laquelle les difficultés d'apprentissage de la lecture sont le fait d'enfants dont la maturation du système nerveux central est en retard, n'entre pas dans l'une ou l'autre des catégories précédentes car elle ne répond pas de manière uniforme au critère de l'origine innée ou acquise de ces difficultés.

Le retard de maturation invoqué peut, en effet, de manière variable selon les auteurs, être dû à une prédisposition héréditaire (par exemple Zangwill et Blakemore, 1962) ou être d'origine acquise, consécutif par exemple à des événements périnataux. Ajuriaguerra indique à ce propos que :

> « Les auteurs récents n'opposent pas les théories lésionnelles aux théories maturatives » (Ajuriaguerra, 1966, 173)

et Critchley envisage l'éventualité d'une origine lésionnelle à l'immaturité cérébrale :

> « Une immaturité cérébrale spécifique implique-t-elle une lésion structurale, reconnaissable grâce aux techniques actuelles ? Probablement pas, quoiqu'on ne puisse répondre à cette question en toute sûreté » (Critchley, 1974, 196).

La thèse de l'immaturation échappe donc à la classification inné/acquis et, ce critère de l'origine étant peu discuté par ses partisans, il paraît préférable de l'examiner sans tenir compte de cette distinction, sous sa forme propre.

C'est dès l'origine chez Morgan (1896) que se trouve l'hypothèse que les difficultés d'apprentissage de la lecture pourraient être dues à une agénésie ou à un retard de développement du système nerveux central ou du cerveau en particulier.

Claiborne dès 1906 développe ce point de vue et déplace ainsi le problème du terrain de la pathologie pure à celui du développement des structures cérébrales de l'enfant.

Il suppose que l'

« imperfection du développement et la lenteur de la réception des cellules de la mémoire des mots et des lettres sont le fait du cortex du mauvais lecteur » (Claiborne, *in* Critchley, 1974, 187).

Cette conception des difficultés d'apprentissage de la lecture qui ne met en avant ni une lésion cérébrale, ni une prédisposition héréditaire mais un retard de maturation dont l'origine est généralement laissée au second plan, apparaît comme la forme la moins radicale de la conception organique et donc comme la plus adoptable pour le plus grand nombre. La dénomination, peu à peu passée dans l'usage, de « dyslexie de développement » ou « dyslexie d'évolution » exprime ce mode de pensée. Critchley (1974, 191-196) indique différentes versions de cette thèse dont il semble que la période la plus heuristique soit celle des années soixante. Nombreux sont en effet les auteurs anglo-saxons qui, faisant leur une attitude solidement implantée par Gesell en psychologie de l'enfant, considèrent qu'une immaturité cérébrale est responsable des difficultés d'apprentissage de la lecture : Belmont, Bender, Birch, Hagin, Silver par exemple. Certains, comme Geschwind (1968), la considèrent comme localisée au gyrus angulaire, et donc spécifique ; d'autres, au même moment, comme De Hirsch et Jansky (1968) pensent à un retard maturatif global.

Les données d'ordre neurologique en faveur de cette thèse sont peu nombreuses. Des auteurs dont l'œuvre se situe dans ce courant le reconnaissent :

« Le postulat d'une corrélation entre une maturation retardée du système nerveux central (hémisphère gauche) et l'immaturité du comportement ne dispose pas encore d'une vérification complète » (Satz, Rardin et Ross, 1971, 2011).

Ils citent Lenneberg (1967) pour défendre le principe que le développement cérébral se poursuit jusqu'à la puberté, est en corrélation avec des étapes comportementales, et que le langage n'est complètement latéralisé au plan cortical qu'à la puberté. On peut préciser que la région cérébrale classiquement considérée comme spécialisée dans la lecture (la circonvolution angulaire gauche) est celle qui est myélinisée le plus tard, fait établi de longue date par Flechsig (1847-1929) selon Buchanan (1968).

De Hirsch et Jansky (1968 *a*) rapportent plusieurs faits

mettant en rapport maturation organique et lecture : retard de
maturation d'un an des garçons par rapport aux filles en ce
qui concerne le développement du squelette (Tanner, 1961),
corrélation entre croissance physique et résultats en lecture en
première année (Karlin, 1957), tendance des enfants en échec à
avoir des indices anthromorphiques plus bas (M. D. Simon,
1979), corrélation entre développement de la dentition et réussite scolaire (Ilg et Ames, 1964).

Les indications neurologiques, quelque intéressantes qu'elles
soient sur un plan général, ne sont cependant pas assez précises
pour permettre d'affirmer que les difficultés d'apprentissage de
la lecture résultent d'un retard de maturation. Le fait que les
structures cérébrales, et particulièrement celles responsables du
langage, connaissent un développement relativement lent et
qui peut se prolonger jusqu'à la puberté, ne saurait remplacer
les faits attestant que les mauvais lecteurs ont un développement cérébral plus lent et que c'est pour cette raison que la
lecture leur fait problème. Les corrélations entre indices de
développement physique et résultats en lecture ne peuvent être
interprétés directement comme des relations de cause à effet.

La prise en compte d'indices plus spécifiquement neurologiques s'avère elle-même décevante. Ainsi dans l'étude prédictive effectuée par De Hirsch et Jansky (1968 a) au moyen de
37 épreuves psychométriques, les 6 indices de motricité fine
ou globale et l'indice de préférence manuelle mesurés au jardin
d'enfants s'avèrent sans relation avec les résultats obtenus en
fin de seconde année de lecture, en orthographe et en écriture,
alors que environ une fois sur deux les indices recueillis au
jardin d'enfants présentent une corrélation positive avec les
diverses mesures de maîtrise de la langue écrite.

Subirana (1961) juge plus matures les EEG d'enfants droi-
tiers que ceux d'ambidextres, mais on a vu à propos de la
thèse lésionnelle, que les données électro-encéphalographiques
sont très contestées en ce domaine.

Critchley évoque également :

« la présence fréquente de l'équipotentialité du cerveau, ou plutôt,
l'absence de dominance unilatérale distincte » (Critchley, 1974, 191).

Cette question des rapports entre latéralisation et difficultés
d'apprentissage de la lecture renvoie à la théorie d'Orton

(1925, 1928) qui, considérant que les mauvais lecteurs commettent des fautes spécifiques, les inversions, rend compte de celles-ci par des hypothèses relatives à la dominance latérale.

Cette théorie reprise et modifiée par nombre d'auteurs, et particulièrement par Delacato (1966), a connu un succès étonnant puisqu'elle a engendré une somme prodigieuse et peut-être inégalée de travaux, et qu'elle est passée des cercles spécialisés au grand public, au moins sous une forme assez syncrétique. Les revues de questions effectuées, elles-mêmes nombreuses (Harris, 1979 ; Kershner, 1975 ; Leong, 1980 ; Marcel, Katz et Smith, 1974 ; Naylor, 1980 ; Satz, 1976), ne permettent pas de considérer qu'un retard de latéralisation cérébrale puisse être sous-jacent aux difficultés d'apprentissage de la lecture, même s'il n'est pas possible d'éliminer toute relation entre latéralisation et problèmes de lecture.

D'autres auteurs (voir Vernon, 1971, 159-164) essaient de montrer l'existence d'un retard de maturation des mauvais lecteurs à l'aide de tests perceptifs (Bender, Gottschaldt...) ou d'épreuves diverses. Des réponses caractéristiques d'un âge antérieur devraient apparaître chez les mauvais lecteurs. Si, par ailleurs, les mauvais lecteurs s'avéraient à l'âge adulte avoir vaincu leurs difficultés initiales en lecture, ce fait plaiderait en faveur de la thèse selon laquelle les difficultés rencontrées à l'âge scolaire ne sont pas structurales mais dues à un retard maturatif.

L'étude effectuée par De Hirsch et Jansky (1968 b) repose sur ce type de raisonnement. Les auteurs analysent un échantillon de 16 garçons considérés comme dyslexiques, âgés de 11 à 15 ans, originaires d'un milieu social moyen ou favorisé, fréquentant une école privée et ayant un QI compris entre 115 et 142. Ils disposent par ailleurs de données provenant d'un échantillon de 8 enfants de fin de deuxième année ayant échoué à tous les tests de lecture qu'ils ont passés.

De Hirsch et Jansky indiquent que les enfants du groupe plus âgé présentent des réponses comparables à celles des enfants du groupe de deuxième année : mouvements associés dans une épreuve neurologique, latéralité mixte, défauts dans la connaissance de la droite et de la gauche. Dans un autre groupe d'épreuves leurs réponses évoquent encore celles des plus jeunes, quoique avec une différence de degré. Il s'agit du dessin de personnages (très primaire), d'erreurs de synthèse et d'orientation spatiale dans le test de Bender et surtout de confusions en discrimination auditive. Les troubles de l'expression tant orale qu'écrite sont frappants, de même que les difficultés graphomotrices.

Dans cette étude où la comparaison est effectuée de manière clinique, sans quantification ni tests statistiques, les auteurs s'efforcent de montrer à quel point les comportements des 11-15 ans ressemblent à ceux des plus jeunes. Sur le plan théorique ils posent que ces similitudes s'expliquent par des retards de maturation cérébrale, mais ne vont pas au-delà de cette position de principe. Toutefois la démarche suivie ne permet pas de considérer ces propos autrement que comme une des interprétations possibles des similitudes suggérées par la comparaison clinique effectuée par les auteurs.

Pour pouvoir affirmer que des déterminants d'ordre neurologique sont ici à l'œuvre, il faudrait en effet disposer de données neurologiques directes et pas seulement de données comportementales indirectes. Le fait qu'un diagnostic de retard neurologique repose sur une majorité d'épreuves psychologiques (dessin, perception, expression, graphisme) n'est guère satisfaisant.

Les psychologues qui ont construit ces épreuves et les utilisent sont particulièrement bien placés pour exprimer la crainte que ce qu'elles appréhendent soit de nature trop composite pour pouvoir être considéré comme une mesure neurologique valide (Coles, 1978 ; Gross et Rothenberg, 1979).

En outre la manifestation chez les mauvais lecteurs de 11-15 ans de comportements perturbés peut tout aussi bien être considérée comme un effet des problèmes scolaires et/ou extra-scolaires rencontrés, ou encore comme la manifestation de difficultés ayant avec les problèmes scolaires une origine commune et non neurologique.

Le fait enfin que les auteurs indiquent que la moitié du groupe des 11-15 ans a surmonté ses difficultés de lecture sous l'effet de l'intervention rééducative des auteurs renforce le point de vue extra-neurologique car il est vraisemblable que cette intervention ait moins pour effet d'accélérer la maturation du système nerveux central que d'agir sur les plans du fonctionnement socioaffectif et cognitif du sujet.

Il apparaît que, de manière générale, la thèse de la maturation neurologique repose sur trop peu de données authentiquement neurologiques pour pouvoir être considérée comme solidement fondée. Quant aux instruments psychométriques dont elle fait un large usage, ceux-ci ont un caractère trop indirect et composite pour pouvoir être probants sur le plan neurologique. Il ne semble donc pas que, pour ces deux raisons, la thèse de la maturation neurologique puisse, à elle seule, expliquer les difficultés d'apprentissage de la lecture par les enfants.

5 | AUTRES THÈSES

Les travaux partant du principe que les difficultés d'apprentissage de la lecture ont une étiologie organique ne se limitent pas à ceux qui précisent celle-ci en termes d'atteinte cérébrale, de prédisposition héréditaire ou d'immaturation.

La consultation d'ouvrages produits par ce courant (Benton et Pearl, 1979 ; Critchley, 1974 ; Keeney et Keeney, 1968 ; Knights et Bakker, 1976 ; Money, 1962), des revues de questions qu'il provoque (Dalby, 1979 ; Malmquist, 1958, 1973 ; Vernon, 1971) ou des bibliographies commentées qu'il suscite (Lee et Berger, 1978) montre que cette recherche de facteurs organiques comporte plus de directions que nous n'en avons indiquées. La voie la plus empruntée aujourd'hui paraît néanmoins être celle, ouverte par Orton (1925, 1928), que Vernon appelle « neurophysiologie » ou « neuropsychologie ».

D'autres travaux abordent le problème des difficultés d'apprentissage de la lecture sous l'angle des mécanismes biochimiques. Malmquist (1973, 211) rapporte à ce propos la thèse de Smith et Carrigan (1959) bâtie sur l'hypothèse qu'un excès de deux substances chimiques agissant sur l'influx nerveux, l'acétylcholine et le cholester, serait à l'origine des difficultés des enfants, et les controverses ayant conduit au rejet des premières recherches effectuées.

On peut signaler, parce qu'elles participent également d'une approche biochimique des difficultés d'apprentissage de la lecture, les expériences portant sur l'effet de médicaments administrés à des enfants mauvais lecteurs. Ces médications visent plus précisément les troubles du comportement associés aux difficultés d'apprentissage qui sont ici répertoriés en termes d' « hyperactivité » ou d' « hyperkinésie » et considérés comme un des symptômes de MBD.

Bosco (1972) rapporte que l'administration d'un médicament appelé « Ritalin » s'avère efficace sur l'hyperactivité mais pose des problèmes relatifs à ses effets secondaires.

L'incertitude des résultats issus de l'application de ce même médicament, mais cette fois sur le style cognitif d'enfants hyperactifs, ressort également de la recherche de Campbell (1971), en dépit d'une tendance à la diminution des réponses impulsives.

Cole (1975), évaluant les effets de deux médicaments pris quotidiennement (Dexedrine, Ritalin) sur l'hyperactivité, estime que leurs effets sont plutôt bénéfiques.

Feingold (1975) rapporte que 50 % des enfants en difficultés scolaires soumis à des régimes éliminant notamment les colorants et les parfums artificiels manifestent moins d'hyperactivité, d'agressivité et d'impulsivité, mais de manière variable selon l'âge.

Satterfield et Cantwell (1974) rapportent quatre expériences portant sur des enfants hyperactifs aux seuils de vigilance et d'inhibition généralement bas. Les médicaments utilisés (Ritalin et Tofranil) diminuent l'hyperactivité et la propension à la distraction, augmentent l'empan d'attention, ce qui ne peut qu'être favorable aux acquisitions scolaires.

De cet ensemble d'expériences on retire l'impression que les effets produits par les médicaments utilisés sont encore incertains. Par ailleurs, ces travaux d'orientation pragmatique plus qu'explicative ne peuvent aider à déterminer avec précision quelle est l'éventuelle base organique des difficultés d'apprentissage de la lecture mais, au mieux, montrer que celles-ci dépendent de mécanismes biochimiques. Le fait enfin qu'elles aient pour objet non pas les troubles cognitifs eux-mêmes mais les troubles du comportement qui leur sont associés ne permet de les considérer comme pertinents pour le problème de la lecture que si on accepte la thèse d'un syndrome de MBD considérant les troubles cognitifs et les troubles du comportement comme deux manifestations d'un même dysfonctionnement cérébral. A défaut d'acceptation de cette thèse l'intérêt de ces expériences est latéral par rapport à notre propos. L'étude de Park et Schneider (1975) présente plus de valeur explicative que les précédentes. Les auteurs soutiennent en effet l'hypothèse d'un dysfonctionnement thyroïdien comme origine des difficultés d'apprentissage de la lecture. Ils comparent à cette fin 53 mauvais lecteurs de 7 à 15 ans et 18 lecteurs ordinaires du même âge. Les premières analyses de laboratoire tendraient à montrer l'existence d'une association entre métabolisme et difficultés en lecture.

On peut citer enfin l'hypothèse de Birch évoquée par De Hirsch et Jansky (1968 *b*, 67) selon laquelle, en dernier ressort, une carence en protéine pourrait être à l'origine de retards maturatifs et par suite de difficultés dans l'apprentissage de la lecture. Si tel est le cas, cette interprétation, parfaitement cohérente avec une conception organique, ne saurait pourtant nous satisfaire. Poussant le raisonnement à l'extrême, on peut envisager que de semblables corrélations entre analphabétisme et carence protéinique soient calculées dans des pays du Tiers Monde. Elles seraient à coup sûr très élevées mais pourrait-on pour autant leur conférer une quelconque valeur explicative étant donné l'absence ou l'extrême carence des structures de scolarisation ?

L'étude de l'hypothèse du rôle causal d'une carence protéinique, si elle devait être réalisée, ne devrait donc pas être conduite *ex abrupto* dans un vide social mais en s'assurant que le rôle éventuel des facteurs d'environnement ait été soigneusement contrôlé.

6 | CONSÉQUENCES PROFESSIONNELLES

A la conception organique des difficultés d'apprentissage de la lecture sont associés des points de vue sur les questions d'ordre éducatif concernant la lecture. Ces points de vue constituent sur le plan de la réflexion un prolongement des investigations propres à cette conception. Ils ne débouchent pas sur des recherches empiriques étudiant le jeu des variables pédagogiques. Le caractère seulement spéculatif de ces points de

vue étant néanmoins indépendant de leur autorité et de leur
éventuel impact pratique, cela justifie que soient rapportés les
traits principaux des points de vue exprimés en ce domaine.
Les auteurs considérant que les facteurs responsables des
difficultés d'apprentissage de la lecture sont d'origine organique
partagent conséquemment la conviction que les facteurs de type
pédagogique jouent un

> « rôle, sinon hors de propos, du moins secondaire dans l'étiologie »
> (Critchley, 1974, 51).

Sur la question des méthodes d'enseignement les points de
vue varient en fonction notamment de la représentation que se
font les auteurs des capacités cognitives des mauvais lecteurs.
Jorm (1979) considère que les mauvais lecteurs présentent
un dysfonctionnement du lobe latéral gauche d'origine héréditaire. Ce dysfonctionnement entraîne des difficultés de mémorisation à court terme et notamment de recodage phonique.
Une méthode traditionnelle d'enseignement de la lecture de type
analytico-synthétique lui paraît donc fortement contre-indiquée
pour ces enfants, et il préconise une méthode basée sur une
mémorisation visuelle des mots susceptible de permettre un
accès à la signification par la voie visuelle plutôt que par la
voie phonique.
Critchley (1974) et Debray-Ritzen (1979), sont, par contre,
des partisans résolus pour ces enfants des méthodes les plus
traditionnelles et des adversaires non moins déterminés de toute
autre méthode, dès lors qualifiée de « globale ». L'argumentation
de Debray-Ritzen repose sur la conception demeurée classique
en milieu médical selon laquelle les apprentissages cognitifs
doivent passer

> « par un stade attentif et volontaire avant d'atteindre le stade perfec-
> tionné de l'habitude et de l'automatisme » (Debray-Ritzen, 1979, 204).

Un autre argument, que l'on trouve également chez
Critchley part du postulat que l'approche dite « globale »
étant intellectuellement plus exigeante que l'approche traditionnelle, elle demande plus de moyens intellectuels que n'en
possèdent les mauvais lecteurs, ce qui permet à Debray-Ritzen
de la qualifier de « subrepticement élitiste » (*ibid.*, 204).
Critchley ne trouve pour avantage à ce mode d'enseignement

que celui de provoquer un dépistage plus rapide des mauvais lecteurs.

A la question d'une éventuelle action éducative de prévention des échecs, les réponses varient à nouveau selon la thèse étiologique soutenue. Cette question est au centre des préoccupations d'auteurs qui, comme De Hirsch et Jansky, croient que les difficultés d'apprentissage rencontrées tiennent au retard maturatif de l'enfant. Ils préconisent donc (1968, 29-30) la création de classes d'attente semblables aux « classes de maturité » existant en Suède, qui accueilleraient les enfants détectés au moyen d'une batterie de tests spécialisés.

Critchley, qui exprime souvent son souci d'opérer un dépistage précoce, est plutôt hostile à une action en amont des difficultés (1974, 214), par scepticisme sur son efficacité semble-t-il.

Debray-Ritzen, ne reconnaissant pas les seules étiologies lésionnelle ou génétique, considère que toute entreprise de diagnostic antérieure à l'enseignement est vide de sens et, conséquemment, ignore également l'action préventive.

Vis-à-vis des enfants en situation d'échec, Critchley et Debray-Ritzen préconisent l'un et l'autre des rééducations dont le commun éclectisme (Critchley, 1974, 211 ; Debray-Ritzen, 1979, 205) paraît être le reflet d'un discret scepticisme quant à l'efficacité de ces mesures, et s'opposent tous deux à des interventions de type psychothérapique (Critchley, 1974, 213 ; Debray-Ritzen, 1979, 205).

Il s'en faut néanmoins que les pronostics des deux auteurs soient identiques. Critchley témoigne pour le long terme d'une confiance que l'adhésion à la thèse de l'immaturation explique sans doute :

« Les perspectives sont tout sauf désespérées. Avec un enseignement approprié, les dyslexiques peuvent faire des progrès considérables et acquérir une capacité de lecture suffisante pour toutes les pratiques » (1974, 201).

De même sa préférence va au maintien des mauvais lecteurs dans les écoles ordinaires, avec aide d'enseignants spécialisés, plutôt qu'à l'institution d'écoles spéciales.

Les thèses qui sous-tendent les points de vue de Debray-Ritzen ne l'amènent pas à exprimer un tel optimisme. A

l'inverse, elles le conduisent à préconiser des mesures pédagogiques inspirées par la résignation :

> « Les leçons devraient pouvoir être apprises en écoutant et non en
> lisant ; on devrait autoriser le dyslexique à dicter ses devoirs plutôt
> qu'à les rédiger de sa main ; enfin, dans toute la mesure du possible, les
> examens devraient être purement oraux » (1979, 206).

Pour les cas les plus graves :

> « Il conviendrait alors de libérer ces enfants intelligents du langage
> écrit et de les conduire sur une voie spéciale parallèle à l'enseignement
> normal. Pour eux, des méthodes de scolarité n'impliquant pas l'usage
> de la lecture devraient être inventées, organisées et appliquées. L'ensei-
> gnement audiovisuel y prendrait une place essentielle » (*ibid.*, 206).

Pour tous ces enfants l'auteur propose enfin un développement des activités manuelles.

On remarquera au passage que cette orientation va exactement à l'opposé du reflux actuel en Amérique du Nord des
structures scolaires ségrégatives au bénéfice du *mainstreaming*
(intégration).

A la question de savoir dans quelle mesure les difficultés
d'apprentissage de la lecture proviennent d'un dysfonctionnement de nature organique, des réponses différentes existent
chez les auteurs examinés.

Si la question est posée en termes de fraction de la population, il faut distinguer le cas des auteurs qui, tels Critchley
et Debray-Ritzen, considèrent qu'il existe une population
spécifique, les dyslexiques, qui représenteraient moins de 10 %
de la population enfantine et pour lesquels l'étiologie organique
est affirmée, et des auteurs qui, tels De Hirsch et Jansky ou
Jorm, ne cherchent pas à différencier des mauvais lecteurs qui
seraient dyslexiques et d'autres qui ne le seraient pas et qui,
par suite, étendent l'ambition explicative de l'étiologie organique à l'ensemble de la population en difficulté d'apprentissage
de la lecture.

Si la question est posée en termes de facteurs, il apparaît
que les auteurs s'accordent pour considérer, chacun dans son
champ propre — tel que délimité ci-dessus —, que les difficultés d'apprentissage de la lecture ne peuvent s'expliquer
que par des facteurs de nature organique (lésionnels, héréditaires, maturatifs). Ce caractère permet de considérer la posi-

tion organique comme une position de fait organiciste. C'est ce qui en fait la difficulté car la démonstration de sa véracité exige d'importantes précautions méthodologiques.

Si l'on ne peut mettre en doute ni qu'il existe des soubassements organiques à la lecture, ni que certaines zones corticales jouent un rôle plus important que d'autres dans cette activité, il est par contre beaucoup plus difficile d'admettre, en l'état actuel des recherches, qu'une fraction ou la totalité des enfants en difficulté dans l'apprentissage de la lecture sont victimes d'un dysfonctionnement organique. Les faits avancés à l'appui de cette conception apparaissent en effet plus souvent comme des concomitants des difficultés de lecture que comme des déterminants de celles-ci. Par ailleurs, l'insuffisance du contrôle des facteurs de milieu lors du recueil des données ne permet pas une interprétation organique univoque de celles-ci. La valeur explicative de la conception organique ne peut être affirmée à défaut d'une méthodologie plus rigoureuse.

Compte tenu de ceci, toute recommandation sur le plan éducatif issue de cette conception ne peut que nous apparaître manquer de fondement et à tout le moins prématurée.

CHAPITRE II

Déficits instrumentaux et cognitifs

1 | LE CONTEXTE

En Grande-Bretagne les livres de Burt, *The backward child* (1937), de Schonell, *Backwardness in the basic subjects* (1942), aux Etats-Unis celui de Robinson, *Why pupils fail in reading* (1946), amorcent l'avènement d'un autre point de vue sur les difficultés d'apprentissage de la lecture. Au lendemain de la seconde guerre mondiale, une nouvelle conception, que l'on peut qualifier d' « instrumentale », se développe. Sous le nom de « Psychologie de l'éducation » dans les pays anglophones et de « Psychologie scolaire » dans les pays francophones, sont effectuées des recherches et créées des institutions au sein desquelles s'affirme une position différente de la position médicale jusque-là exclusive.

En France le fait le plus marquant est la création progressive à partir de 1945 du corps des psychologues scolaires, sous l'impulsion d'Henri Wallon et grâce aux efforts de René Zazzo (pour une historique, voir Andrey et Le Men, 1968, 31-38 ; Simon, 1979). Les recherches, menées de conserve avec le service animé par Ajuriaguerra à l'hôpital Henri-Rousselle, conduisent à la publication au début des années cinquante de travaux appelés à avoir une exceptionnelle influence. La brutale suspension du recrutement des psychologues scolaires après une

dizaine d'années de progression, ainsi que le départ à Genève
de Ajuriaguerra mettent un terme en France à ce nouveau
type de recherches.

La représentation instrumentale des difficultés d'apprentissage de la lecture ayant cours aujourd'hui en France n'a
guère varié depuis cette époque : elle reflète l'état des travaux
effectués dans l'après-guerre. Faute de nouvelles recherches
et faute de connaissance de celles réalisées ailleurs, elle demeure
limitée au savoir édifié il y a quelque trente ans.

Dans le monde anglo-saxon épargné par ces péripéties
institutionnelles le courant instrumental apparaît de manière
ininterrompue comme un des secteurs les plus dynamiques des
recherches consacrées aux difficultés d'apprentissage de la
lecture. A l'expression « instrumentalités » consacrée en France
par l'usage, correspond chez les Anglo-Saxons celle de « *psycho-
logical processes* » (« processus cognitifs »).

2 | DÉFINITION

La position instrumentale ou cognitive est clairement définie
chez Vernon (1977) par exemple dont la théorie causale tri-
dimensionnelle est très représentative du mode de pensée
instrumental :

> « Quoique les problèmes de lecture de certains de ces lecteurs puissent
> être attribués à des manques socioculturels ou à des troubles affectifs,
> des preuves suffisantes existent qui montrent que de nombreuses diffi-
> cultés des enfants proviennent d'une déficience inhérente fondamentale
> ou de déficiences dans le processus intervenant dans l'acte lexique. »

Les difficultés d'apprentissage de la lecture apparaissent
donc dues à des facteurs socioculturels, ou affectifs, ou instrumentaux.

S'intéressant spécifiquement à ces derniers, Vernon distingue quatre classes de déficits correspondant aux quatre
processus psychologiques de la perception, de la mémoire,
du langage, de la pensée. L'acte lexique étant considéré comme
un « savoir-faire » *(skill)* résultant de l'intégration de ces
différents processus, il s'ensuit que les difficultés d'apprentissage

de la lecture sont à leur tour considérées comme un effet de l'atteinte de tel ou tel processus.

Pour les cognitivistes des déficits instrumentaux sont à l'origine des difficultés que rencontrent les enfants pour apprendre à lire. La tâche de la recherche est d'identifier ces déficits. La référence faite à des déterminants non cognitifs apparaît ici comme une concession de pure forme à d'autres conceptions théoriques. L'absence par la suite de toute préoccupation relative aux variables non cognitives désignées, ne serait-ce que lors de la constitution des échantillons expérimentaux, montre bien que la position instrumentale se caractérise de fait par l'ambition d'expliquer les difficultés d'apprentissage de la lecture par le seul jeu de facteurs cognitifs.

La nature précise des déficiences cognitives postulées est difficile à définir comme on s'en aperçoit en parcourant les principales publications effectuées par les chercheurs de l'après-guerre en France.

3 | LES RECHERCHES FRANÇAISES
  DES ANNÉES CINQUANTE

Ajuriaguerra (1951), synthétisant les recherches publiées dans un numéro spécial consacré par *Enfance* à ce problème, évoque une désorganisation spatio-temporelle, des troubles de la latéralisation, du développement du langage, et des troubles affectifs à propos desquels il écrit d'ailleurs :

« Le rôle des problèmes affectifs à notre avis a été exagéré. »

Ce numéro comporte des contributions des chercheurs de l'équipe Ajuriaguerra, Zazzo, Borel-Maisonny, Galifret-Granjon, Stamback, Simon dont les travaux illustrent bien ce courant de recherches.

Borel-Maisonny (1951), après avoir analysé les réponses de 67 enfants « dysorthographiques » et de 53 « dyslexiques » dans des épreuves de langage, débouche sur un schéma qui met en relation troubles d'articulation, troubles du langage, troubles perceptifs visuels et leurs effets : dyslexie et dysorthographie.

Dans *Langage oral et langage écrit* (1966), elle fait état chez les mauvais lecteurs de troubles de l'orientation, troubles dans l'analyse des phénomènes acoustiques, troubles numérico-rythmiques, lacunes dans le domaine linguistique.

L'exposé plus détaillé effectué dans *Perception et éducation* (1969) comporte dix rubriques de « difficultés exceptionnelles éprouvées par les dyslexiques », mais on y retrouve le schéma général qui apparaissait dans le numéro spécial d'*Enfance* de 1951. Pour Borel-Maisonny en définitive :

> « La dyslexie résulte d'un ensemble de troubles de perception dont le domaine risque d'être très étendu puisqu'il englobe le monde des perceptions visuelles et aussi celui des perceptions auditives. La liaison avec les troubles annexes du langage et de la parole a été figurée dans le schéma. »

Les recherches empiriques de Galifret-Granjon consistent le plus souvent en une exploration au moyen d'épreuves objectives des instrumentalités d'un échantillon de mauvais lecteurs contrasté avec un échantillon de lecteurs ordinaires. L'hypothèse que la structuration spatiale pose des problèmes particuliers aux mauvais lecteurs est au centre de ces recherches.

L'organisation spatiale est ainsi explorée (Galifret-Granjon, 1951) au moyen d'épreuves de reconnaissance et de structuration spatiale.

La question de la dominance latérale est examinée dans ses rapports avec la lecture (Galifret-Granjon et Ajuriaguerra, 1951) et avec la motricité manuelle (Galifret-Granjon, 1954).

Des publications ultérieures (Galifret-Granjon, 1958, 1959) tentent d'opérer une synthèse théorique des informations recueillies dans cet ensemble important d'investigations empiriques.

A l'élaboration de la dimension temporelle est attaché le nom de Mira Stambak dont les recherches portent essentiellement sur le rythme (1951, 1960, 1966).

La contribution de Simon au numéro spécial d'*Enfance* (1951) comporte des épreuves instrumentales diverses qui sont appliquées à un échantillon tout venant d'enfants de CP. La comparaison des enfants ayant des performances extrêmes en lecture fait apparaître l'importance du QI. L'analyse factorielle des résultats obtenus aux divers tests permet en outre de mettre en évidence le rôle de la structuration spatiale. Simon (1954) évalue ainsi la valeur pronostique pour l'acquisition de la lecture du test de Binet-Simon :

« A l'âge d'entrée au Cours préparatoire les enfants qui n'atteignent pas 85 de QI ont peu de chances d'apprendre à lire, entre 85 et 95 les chances d'échec et de réussite s'équilibrent ; au-delà les chances de réussite vont croissant pour atteindre une quasi-certitude pour des QI supérieurs à 105. »

La recherche publiée ultérieurement (Simon, 1957) confirme la force des corrélations entre lecture et âge mental. Une observation plus qualitative des comportements lors de la réalisation de l'épreuve Kohs-Goldstein conduit l'auteur à mettre l'accent sur le fait que dans cette tâche d'organisation de l'espace, comme dans la tâche de lecture, interviennent les mêmes opérations mentales d'analyse et de synthèse.

Andrey (1958) critiquant la trop grande propension à considérer la gaucherie contrariée comme cause de la dyslexie, et bien qu'exprimant une position plus complexe, dresse un tableau des instrumentalités considérées comme déficientes :

« Les difficultés d'acquisition de la lecture et l'orthographe peuvent avoir de nombreuses autres origines, le plus souvent connexes : insuffisance et irrégularité de l'acuité auditive, imprécisions perceptives soit auditives (mauvaise analyse des sons voisins), soit visuelles (mauvaise représentation de l'espace), maladresse ou troubles moteurs, arythmies, troubles du langage oral (au niveau de l'évocation ou de l'articulation), et plus que l'un de ces aspects isolés : perturbation à un niveau quelconque des intégrations réciproques complexes de tous ces éléments qui entrent en jeu dans le langage écrit. »

On trouve dans ce tableau à la fois une récapitulation des facteurs considérés comme responsables des difficultés d'apprentissage de l'acte lexique et des raisons des difficultés de son apprentissage qui est comparable à celle de Vernon (1977).

A ces recherches on peut ajouter celles, ultérieures, de Leroy-Boussion (1971) qui, dans une étude longitudinale portant sur 179 enfants suivis de la grande section d'école maternelle au cours élémentaire, met en relation le QI et divers aspects de l'acquisition de la lecture.

Il apparaît clairement que, aux trois niveaux scolaires, les résultats sont d'autant meilleurs que le QI est élevé.

4 | LES RECHERCHES RÉCENTES

Il existe dans la période récente des travaux inspirés par des hypothèses voisines de celles qui ont inspiré les recherches françaises des années cinquante, mais également des recherches qui, ayant suivi des directions nouvelles, présentent un intérêt particulier.

4.1 – L'intelligence

Compte tenu des premières recherches l'existence d'une éventuelle insuffisance intellectuelle globale à l'origine des difficultés d'apprentissage de la lecture ne retient guère l'attention des chercheurs car elle paraît aller de soi. Ceci est sans doute à imputer à la définition classique de la dyslexie évolutive qui, présentant le dyslexique comme pourvu d'une « intelligence suffisante », exclut donc d'emblée l'étude de l'intelligence de ce champ de recherches. Il est de pratique courante, en application de ce principe, de ne retenir dans un échantillon de mauvais lecteurs que les enfants ayant un QI moyen ou supérieur (Valtin, 1980). Cette façon de procéder ayant le défaut d'éliminer une fraction de la population, d'autres auteurs préfèrent une autre procédure.

Ainsi Yule (1967) définit-il par une analyse de régression ce que devraient être les résultats en lecture pour chaque valeur de QI. Cette technique, outre le fait qu'elle permet l'étude de populations non sélectionnées, amène à distinguer et comparer le cas des enfants ayant un « retard en lecture » où niveau intellectuel et niveau de lecture correspondent, et le cas de ceux qui présentent un « retard spécifique en lecture » où le niveau de lecture est inférieur à ce que permettait d'espérer le niveau intellectuel.

A ce désintérêt dont fait l'objet l'intelligence font exception toutefois les études prédictives. Celles-ci montrent en effet que les tests d'intelligence sont d'excellents prédicteurs de la réussite en lecture : Gilly, Poitou, Volle et Volle (1972) font apparaître que l'âge mental ou le QI à la NEMI prédisent mieux les résultats d'apprentissage de la lecture que toutes les autres techniques testées. De la même façon Newman (1972) obtient de meilleures corrélations entre le WISC verbal et une épreuve de reconnaissance de mots en fin de première année qu'avec des tests prédictifs spécifiques.

Une étude anglaise montre par ailleurs que la corrélation entre le Wechsler préscolaire (WPPSI) passé à 5.6 ans et les résultats en lecture à 7 et 8 ans (Yule et Rigley, 1982) est d'environ .60.

Les travaux les plus originaux en ce domaine nous paraissent pourtant être les études d'inspiration piagétienne relatives à l'acquisition de la langue écrite (pour une revue voir Fijalkow et Prêteur, 1983). Parmi elles, on trouve quelques recherches contrastives permettant d'explorer la relation entre lecture et intelligence par des moyens autres que ceux que permettent les tests classiques de niveau.

C'est ainsi qu'il apparaît que, si l'on fait passer des épreuves de conservation à un échantillon tout venant et qu'on le subdivise sur cette base en conservants et non-conservants, les résultats obtenus dans un test de lecture par les premiers sont supérieurs à ceux obtenus par les seconds (Brekke et Williams, 1975 *a*, 1975 *b* ; Brekke, Williams et Harlow, 1973).

Farnham-Diggory (1967) montre que, dans une tâche de laboratoire simulant la lecture de phrases à l'aide d'un matériel symbolique, les conservants obtiennent de meilleurs résultats que les non-conservants.

Les autres auteurs comparent des groupes de mauvais lecteurs et de lecteurs ordinaires dans des tâches piagétiennes en vue de voir si aux différences observées en lecture correspondent des différences de niveau de développement cognitif.

Les mauvais lecteurs examinés par Aman-Gainotti et Casale (1980) à l'aide de six épreuves piagétiennes s'avèrent différer des lecteurs ordinaires dans la sériation des baguettes, la translation d'un carré, l'ordre direct et l'ordre inverse, mais la classification d'objets géométriques, la correspondance terme à terme et la conservation des liquides sont réussies de manière semblable par les deux groupes.

Dans la recherche de Hurta (1972) le score total différencie les deux groupes. L'analyse de détail montre une différence dans la conservation de la longueur mais pas de différence

pour le nombre, la substance, les quantités continue et dis-
continue, le poids, la longueur.

Johnson (1973) met en évidence l'insuffisance des expli-
cations fournies par les mauvais lecteurs dans des épreuves
de conservation.

L'échantillon de mauvais lecteurs analysé par Klees et
Lebrun (1972) manifeste un retard de 80 % par rapport à
l'étalonnage publié de différents tests considérés comme des
épreuves figuratives. Ce retard est évalué à un an environ en
conservation, en sériation et en inclusion de classes.

La conservation des liquides paraît également être atteinte
plus tardivement par les mauvais lecteurs (Lovell et Warren,
1964).

Simpson (1972) fait état de conduites préopératoires dans
un groupe de mauvais lecteurs allant de la deuxième à la
quatrième année.

Il apparaît, dans une étude prédictive des résultats obtenus
dans l'apprentissage de la lecture dans un délai d'un an, que
le meilleur prédicteur est une batterie de tests piagétiens
(Lunzer, Dolan et Wilkinson, 1976).

Les travaux d'inspiration piagétienne paraissent globale-
ment consolider l'hypothèse d'une relation entre les résultats
en lecture et le niveau de développement cognitif, mais une
certaine hétérogénéité dans le détail laisse ouverte la question
des mécanismes de cette relation.

4.2 – La perception

La perception est une autre fonction considérée comme
fréquemment déficiente chez les mauvais lecteurs. L'hypothèse
d'une insuffisance d'analyse visuelle remonte aux travaux
d'Orton (1937), de Bender (1938) et de Frostig *et al.* (1963).
Le fait que les mauvais lecteurs aient des difficultés à analyser
les structures complexes des tests de Bender ou de Frostig
a été établi à plusieurs reprises tant par des chercheurs français
des années cinquante que par des chercheurs anglo-saxons
(Crosby, 1968 ; Lachman, 1960). Des études ont même établi
la valeur prédictive de ces instruments (De Hirsch *et al.*, 1966 ;
Smith et Keogh, 1962).

Pourtant la perception, comme l'intelligence, suscite moins

de recherches aujourd'hui. La raison en est sans doute que les tâches mettant en œuvre ces fonctions, tests d'intelligence ou épreuves de type Bender ou Frostig, paraissent trop complexes dans la mesure où elles mobilisent simultanément de nombreux mécanismes cognitifs. Les recherches actuelles se détournent donc d'épreuves considérées comme syncrétiques, au bénéfice de l'étude de mécanismes cognitifs isolés, et ce dans le cadre d'une démarche où les activités cognitives sont analysées comme des processus de traitement de l'information.

L'expérience de Morrison, Giordani et Nagy (1977) montre clairement ce caractère composite sur le plan cognitif des tâches dites « perceptives ». Morrison *et al.*, partant du principe que l'analyse de l'objet comporte une phase perceptive brève (moins de 300 ms) suivie d'une phase d'encodage mnémonique (dans l'intervalle de 500 à 2 000 ms qui suit l'apparition du stimulus), ont utilisé une tâche permettant la séparation de ces deux phases. Les résultats indiquent que les mauvais lecteurs ne diffèrent pas des lecteurs ordinaires dans la première phase mais uniquement dans la seconde, et ce quel que soit le matériel utilisé, verbal ou non verbal (lettres, formes géométriques, formes abstraites). Le déficit des mauvais lecteurs apparaît donc être non pas de nature perceptive comme le laissaient croire les résultats obtenus dans les tâches complexes des tests, mais de nature mnémonique.

La nécessité de ne pas s'en tenir à l'hypothèse globale d'un déficit perceptif mais d'orienter la recherche vers l'identification des mécanismes cognitifs intervenant dans les tâches antérieurement dites « perceptives », apparaît également dans une expérience de Kolers (1975). Cette expérience montre que des mauvais lecteurs âgés de 12 ans ont plus de peine que des lecteurs ordinaires à lire et à reconnaître des phrases imprimées à l'envers. Kolers interprète ces résultats en termes de déficiences cognitives et non pas perceptives dans l'analyse et la mémorisation des structures graphiques.

Vellutino, Steger et Kandel (1972) font procéder deux groupes contrastés en lecture à une copie de mémoire de matériaux verbaux et non verbaux présentés brièvement. Le fait que les différences entre les groupes apparaissent d'autant plus que le matériel se complique (matériel verbal, suites plus longues) amène à réfuter l'hypothèse d'un déficit perceptif et à avancer celle d'un déficit cognitif verbal. Les nombreuses expériences ultérieures de Vellutino et de ses collaborateurs débouchent sur une critique systématique de l'hypothèse du déficit perceptif et sur l'exposé de l'hypothèse alternative d'un déficit verbal (Vellutino, Steger, Moyer, Harding, Niles, 1977) ; Fletcher et Satz (1979) contestent cette position.

La recherche de déficits instrumentaux chez les mauvais lecteurs a donc à ce jour dépassé la phase de l'étude de fonctions globales telles que l'intelligence ou la perception. Les investigations portent maintenant sur des mécanismes cognitifs plus fins conçus généralement comme des étapes dans le processus cognitif du traitement de l'information écrite.

4.3 – Les images

Sur le plan des fonctions figuratives quelques chercheurs se sont intéressés à la question des images.

La question que l'on peut se poser tout d'abord est de savoir si les mauvais lecteurs éprouvent des difficultés à traiter un matériel iconique. L'expérience de Levin (1973) permet de répondre par la négative puisque, faisant examiner à des mauvais lecteurs de quatrième année des histoires présentées sous forme écrite ou iconique, il constate que la compréhension de l'histoire est meilleure quand celle-ci est présentée en images. Les mauvais lecteurs n'ont pas de problèmes à comprendre les images en tant que telles.

Si l'on s'intéresse alors non plus au traitement des images mais aux images mentales, les recherches, encore peu nombreuses, donnent des résultats différents.

Selon Mackworth et Mackworth (1974) les images visuelles des mots stockés en mémoire à long terme sont imprécises et confuses chez les mauvais lecteurs et ceci les gêne particulièrement en situation d'écriture. Cette position revient à considérer l'imagerie mentale des mauvais lecteurs comme déficiente.

On dispose avec Jorm (1977) d'un troisième type d'approche. Sachant qu'une des propriétés des mots écrits est d'évoquer des images chez le lecteur, que cette propriété joue un rôle dans la lisibilité (Van der Veur, 1975), et que certains alexiques parviennent à identifier les mots en évoquant leur image mentale, Jorm tente de montrer que les mauvais lecteurs considérés comme handicapés dans les activités de décodage de l'écrit, ont recours à l'image mentale des mots pour parvenir à les identifier. La position de Jorm va donc *a contrario* d'une thèse qui considérerait l'imagerie mentale des mauvais lecteurs comme déficiente. Si l'on distingue soigneusement l'image mentale des mots (Mackworth et Mackworth) du traitement de l'image des objets (Levin) et des images suscitées par les mots (Jorm), seule la première peut trouver une place dans la liste des mécanismes cognitifs éventuellement perturbés chez les mauvais lecteurs.

4.4 – L'intégration intersensorielle

A l'hypothèse d'un déficit figuratif on peut rattacher celle d'un déficit de l'intégration intersensorielle proposée initialement par Birch (1962) et développée dans des recherches ultérieures, notamment celles de Birch et Belmont (1964, 1965), Muehl et Kremenach (1966), Davis et Bray (1975).

Ces expériences consistent à présenter au sujet une suite rythmique auditive produite par le choc d'un crayon sur une table et à lui demander de choisir parmi des suites de points représentés visuellement celle qui correspond à la suite entendue. Elles sont assez proches des expériences dites de « rythme » de Mira Stambak (*in* Zazzo, 1979). Les résultats inférieurs obtenus par les mauvais lecteurs sont mis au compte d'un déficit à intégrer des données auditives avec des données visuelles, ce qui permettrait d'expliquer les difficultés d'apprentissage de la lecture si on considère celle-ci comme l'intégration de données visuelles — l'écrit — avec des données auditives — l'oral.

A ces expériences on peut joindre celles de Senf et de ses collègues (Senf, 1969 ; Senf et Feshbach, 1970 ; Senf et Freund, 1971) qui consistent à présenter simultanément au sujet des paires de stimuli, un stimulus visuel et un stimulus auditif séparés par un bref intervalle temporel, et à lui demander de les rappeler. On reconnaît là, avec un matériel audiovisuel inspiré par l'hypothèse intersensorielle, la technique d'écoute dichotique de Broadbent (1957). L'étude du rappel des mauvais lecteurs montre notamment qu'ils procèdent plutôt à un rappel par modalités que par paires intersensorielles, ce qui renforce l'hypothèse d'une difficulté spécifique à associer des données visuelles et des données auditives.

L'hypothèse que l'intégration intersensorielle soit déficiente chez les mauvais lecteurs ne résiste pas aux objections qu'elle a suscitées. Des expériences de contrôle montrent en effet que les mauvais lecteurs ont autant de problèmes à réussir dans ce type de tâches quand elles sont intrasensorielles que quand elles sont intersensorielles (Friedes, 1974 ; Van de Voort, Senf et Benton, 1972).

D'autres expériences montrent, autrement, que le principe explicatif des différences constatées n'est pas le caractère intersensoriel de la tâche car si on conserve celui-ci mais que la tâche s'étale dans le temps et prenne par exemple la forme d'apprentissages associatifs entre stimuli non verbaux appartenant à des modalités sensorielles différentes, les mauvais lecteurs obtiennent des résultats identiques à ceux des autres lecteurs (Steger, Vellutino, Meshoulam, 1972 ; Vellutino, Steger et Pruzex, 1973 ; Vellutino, Harding, Phillips et Steger, 1975). Les expériences intersensorielles apparaissent dès lors comme des expériences où la mémoire immédiate joue un rôle capital (Van de Voort et Senf, 1973 ; Vellutino, 1977).

D'autres auteurs défendent la thèse selon laquelle les différences observées reposent sur le fait que les mauvais lecteurs effectuent moins d'étiquetage verbal que les autres lecteurs, activités de comptage spontané par exemple (Blank, Weider et Bridger, 1968). Les recherches sur l'intégration intersensorielle amènent donc à examiner la mémoire immédiate et la vocalisation interne après avoir signalé quelques recherches relatives à l'attention.

4.5 – L'attention sélective

Ross (1976) considère la capacité d'attention sélective comme le mécanisme cognitif qui différencie le mieux les enfants en difficulté dans l'apprentissage de la lecture des autres enfants. Selon Pelham et Ross (1977) cette capacité serait fonction de la maturation, les mauvais lecteurs présentant un retard à cet égard de deux à quatre ans. Appliquée au matériau écrit, l'hypothèse d'un déficit de l'attention sélective conduit par exemple à s'intéresser aux difficultés que rencontrent les enfants à analyser les traits distinctifs des lettres ou des mots (Hallahan et Kauffman, 1976). Lobrot (1972 *b*, 136-142) accorde également une grande importance aux déficits de l'attention chez les mauvais lecteurs.

4.6 – La mémoire à court terme

Parmi les mécanismes cognitifs mis en valeur par l'étude plus analytique des processus cognitifs inspirée par le modèle du traitement de l'information, la mémoire immédiate occupe une position privilégiée. L'évolution indiquée des recherches, du global à l'analytique, s'illustre ici de manière exemplaire si on veut bien voir les travaux actuels sur la mémoire immédiate comme un affinement de l'étude d'un facteur connu empiriquement de longue date : l'item classique de répétition des chiffres dans l'ordre direct et dans l'ordre inverse que l'on trouve dans les principaux tests d'intelligence (NEMI, WISC).

Ce subtest s'avère en fait particulièrement difficile pour les mauvais lecteurs, ainsi que le montrent les études comparant leurs résultats à ceux de lecteurs ordinaires dans chacun des subtests du WISC. Cette observation, faite en France par des conseillers d'orientation (Maillard, Lafargue et Malvy, 1959), est confirmée par de nombreux travaux anglo-saxons. Vingt-six travaux consacrés à cette question ont été revus par Huelsman (1970) et Rugel (1974). Dans quinze recherches les résultats des mauvais lecteurs sont inférieurs à ceux de l'échantillon témoin et dans aucun cas ils ne leur sont supérieurs.

Le subtest de mémoire séquentielle auditive d'un test de langage très utilisé dans le monde anglophone, le Test d'Habiletés psycholinguistiques de l'Illinois, manifeste la même difficulté des mauvais lecteurs (Badian, 1977 ; Golden et Steiner, 1969 ; Stanley, 1975).

A ces subtests, qui ont en commun le fait d'exiger des enfants la mémorisation auditive d'un matériel verbal, peuvent être joints les résultats provenant d'expériences où la même modalité est sollicitée. Que le matériel soit à nouveau des chiffres (Corkin, 1974 ; Spring, 1976) ou des lettres (Bakker, 1972 ; Jorm, 1977 *b*), l'infériorité des mauvais lecteurs est patente. Il faut noter toutefois que les expériences de Perfetti et Goldman (1976) présentent des résultats quelque peu discordants avec les précédents. Il s'avère en effet que les deux groupes de lecteurs ne diffèrent pas dans une tâche consistant pour le sujet, après avoir entendu une série de chiffres, à dire quel était le chiffre qui suivait dans la série le chiffre qu'on lui indique. La différence apparaît toutefois quand le matériel est composé de mots agencés en phrase et que le sujet a pour tâche de rappeler le mot qui suivait celui qu'on lui indique. Le fait que l'activité demandée au sujet est, dans ces expériences, autre que celle que demande le paradigme expérimental classique de la mémoire immédiate, est sans doute responsable des disparités observées. Une des conclusions à tirer de ces expériences est que l'étude de la mémoire immédiate ne peut pas être conduite uniquement en termes de capacité puisque les résultats varient selon la nature du matériau à mémoriser et/ou de la tâche à effectuer.

De fait, d'autres recherches se sont intéressées moins à la capacité qu'à l'ordre. Elles montrent également que les erreurs d'ordre temporel dans des tâches de mémoire immédiate sont plus nombreuses chez les mauvais lecteurs que dans les groupes de référence. Torgesen (1978-1979) a fait une revue d'ensemble de ces travaux.

Un autre groupe de recherches consiste à comparer des mauvais lecteurs et des lecteurs ordinaires dans des tâches de mémoire visuelle dont le matériel est présenté visuellement au sujet.

Le Test d'Habiletés psycholinguistiques de l'Illinois comporte un subtest de mémoire visuelle séquentielle qui consiste en la reconstruction de suites de dessins abstraits consécutivement à une présentation de cinq secondes. Kass (1966) observe dans cette épreuve des différences entre les deux groupes de lecteurs, mais celles-ci ne sont pas retrouvées par Golden et Steiner (1969). Les corrélations entre cet item et des tests de lecture s'avèrent par ailleurs non significatives chez les mauvais lecteurs (Guthrie et Goldberg, 1972). Il n'est donc pas possible de conclure à une infériorité des mauvais lecteurs en mémoire immédiate visuelle à partir de ce subtest.

Les études expérimentales apportent des conclusions plus claires. Les mauvais lecteurs s'y révèlent en effet obtenir des résultats significativement inférieurs à ceux de lecteurs ordinaires dans des tâches diverses : rappel de chiffres (Spring et

Caps, 1974), discrimination ou identification de lettres à effectuer en quelques millisecondes (Stanley et Hall, 1973 ; Morrison *et al.*, 1977), jugements d'équivalence sur une suite d'images présentées une à six secondes plus tôt (Cummings et Faw, 1976), reproduction dans l'ordre d'une suite de formes graphiques vues dix secondes auparavant (Noelker et Schumsky, 1973).

L'étude prédictive de Lunzer *et al.* (1976) montre par ailleurs que la mémoire immédiate visuelle est, avec l'opérativité et le langage, un des meilleurs prédicteurs des résultats en lecture obtenus un an plus tard.

Cet ensemble d'expériences qui évaluent tantôt la capacité, tantôt l'ordre, permet donc de considérer que le déficit de mémoire immédiat des mauvais lecteurs concerne aussi bien la modalité visuelle que la modalité auditive, et aussi bien l'ordre temporel que l'ordre spatial.

Deux expériences consistant à faire passer aux mêmes sujets des tâches auditives et visuelles, et fournissant de ce fait des garanties d'homogénéité, consolident cette conclusion.

L'analyse factorielle effectuée par Guthrie, Golberg et Finucci (1972) des résultats fournis par un groupe de mauvais lecteurs à un ensemble important de tests, fait apparaître quatre facteurs ; la mémoire immédiate auditive et la mémoire immédiate visuelle y figurent à côté des facteurs de lecture et de vocabulaire.

Fijalkow et Simon (1978) soumettent deux groupes appariés de mauvais lecteurs et de lecteurs ordinaires à une batterie de six tâches de mémoire immédiate correspondant au croisement des critères auditif/visuel, verbal/non verbal, temporel/spatial. Dans chaque tâche, lors des deux passations, les mauvais lecteurs s'avèrent obtenir de moins bons résultats que les lecteurs ordinaires tant pour les mesures de capacité que pour celles de l'ordre.

Une autre façon d'analyser la mémoire immédiate consiste à mettre l'accent non plus sur la capacité ou sur l'ordre, mais sur la nature des activités psycholinguistiques du sujet. Conrad (1964) en observant que les erreurs commises avec un matériel verbal présenté visuellement sont de nature phonique et donc identiques à celles qui apparaissent dans des tâches auditives, a ouvert une voie aux recherches. Celles qui ont porté sur les mauvais lecteurs montrent que les erreurs de ce type sont moins nombreuses chez eux que dans l'échantillon témoin, que les unités à mémoriser soient des lettres (Liberman, Shankweiler, Liberman, Fowler et Fisher, 1977) ou bien des mots (Mark, Shankweiler, Liberman, Fowler et Fisher, 1977). Une présentation auditive des mêmes stimuli apporte les mêmes résultats (Shankweiler et Liberman, 1976). Ces expériences amènent à penser que le déficit de mémoire immédiate est dû à une carence d'autorépétition interne par les mauvais lecteurs du matériel à mémoriser.

D'autres expériences renforcent cette hypothèse. Torgesen et Goldman (1977), utilisant une technique permettant d'évaluer l'importance de l'autorépétition verbale *(verbal rehearsal)* dans des tâches de mémorisation, constatent que les mauvais lecteurs ont des résultats inférieurs aux lecteurs ordinaires non seulement dans les scores de mémoire mais également dans les scores d'autorépétition verbale, ceci étant alors susceptible d'expliquer cela.

Afin de s'en assurer Torgesen (1977 *b*) entraîne un groupe de mauvais lecteurs à effectuer des activités d'autorépétition verbale en situation de mémorisation et observe que, quand ce groupe est comparé ensuite à un groupe de lecteurs ordinaires dans des tâches de mémoire immédiate, il parvient à des résultats comparables à ceux du groupe de référence.

Par ailleurs Conrad (1979) montre que les enfants sourds qui commettent davantage d'erreurs phoniques que visuelles dans des tâches de mémoire de mots s'avèrent être de meilleurs lecteurs que ceux qui commettent davantage d'erreurs visuelles que phoniques. Les premiers paraissent donc faire usage d'une subvocalisation *(internal speech)* dont la fonction paraît être la même que celle de l'autorépétition mise en évidence chez les enfants entendants. Une réplication en langue française conduite par nous retrouve ces résultats. Prolongeant celle-ci une expérience consistant à manipuler expérimentalement l'auto langage (par activation, par inhibition) montre le caractère déterminant de celui-ci sur les performances mnémoniques des sujets (Fijalkow, 1973).

Il semble donc que le mécanisme responsable des différences de capacité ou d'ordre soit la plus ou moins grande pratique de l'auto répétition verbale par le sujet des stimuli à mémoriser. Quand ceux-ci sont de nature verbale et sont présentés auditivement, leur nature verbale et leur modalité acoustique les rendent aussi proches que possible de l'activité mentale nécessaire à leur mémorisation. C'est sous cette forme que les difficultés de mémorisation ont d'abord été réparées et que le déficit des mauvais lecteurs a été initialement défini comme relatif à la mémoire auditive. Mais des stimuli verbaux présentés visuellement (chiffres, lettres, mots...) sont également autoverbalisables. Il revient toutefois au sujet d'opérer de lui-même le changement de modalité de l'écrit à l'oral susceptible de permettre l'auto répétition verbale. Les résultats expérimentaux amènent à penser que cette opération n'est pas effectuée également par tous les enfants. Le fait que le matériau expérimental soit non verbal ne dément pas l'hypothèse du rôle conféré à l'auto répétition puisqu'il est toujours possible au sujet d'autocoder verbalement le stimulus à mémoriser, et ce quelle que soit la modalité de présentation choisie. On ne dispose pas de recherches permettant de voir si l'auto répétition peut rendre compte de différences entre modalités de présentation et entre divers degrés de codabilité des matériaux à mémoriser mais de recherches sur la mémoire immédiate visuelle et le langage.

Clifton-Everest (1974) présente à deux échantillons contrastés en lecture des structures formées de lignes non significatives et donc difficiles à coder verbalement. Les temps de présentation sont inférieurs à la durée d'une fixation oculaire pendant la lecture. On n'observe aucune différence entre les deux groupes.

Dans l'expérience de Vellutino, Steger, de Setto et Phillips (1975) le matériel graphique est également non familier pour les deux groupes contrastés en lecture puisqu'il est constitué de suites de lettres hébraïques. L'épreuve de reconnaissance ne témoigne pas de différences entre mauvais lecteurs et autres lecteurs, tandis qu'un autre groupe d'enfants — lecteurs ordinaires mais qui étudient l'hébreu par ailleurs — obtiennent des résultats significativement supérieurs dans les épreuves de reconnaissance visuelle.

Ces deux expériences montrent que les mauvais lecteurs n'ont pas de plus mauvais résultats en mémoire immédiate visuelle que les autres lecteurs si la possibilité de subvocaliser le matériel présenté est contrôlée.

Bien des recherches sur la mémoire immédiate en viennent donc à attribuer un rôle capital au langage. Cette importance est telle, aux yeux de certains chercheurs, qu'ils voient dans un déficit linguistique la véritable origine des difficultés d'apprentissage de la lecture.

4.7 – Le langage

Le premier fait sur lequel s'appuient les auteurs qui forment l'hypothèse d'un déficit linguistique des mauvais lecteurs est de nature psychométrique. Les comparaisons faites entre mauvais lecteurs et lecteurs ordinaires montrent en effet de manière constante que dans le wisc verbal les résultats des premiers sont inférieurs à ceux des seconds alors que l'on n'observe pas une telle différence dans la partie performance du test (Huelsman, 1970).

Une insuffisance de développement du langage ou un trouble de celui-ci au moment où commence l'enseignement de la lecture peut être présenté comme l'expression d'un déficit source de difficultés d'apprentissage. Les travaux examinés par Malmquist (1973, 83-86) et Vellutino (1977, 392-393) sont, par suite de difficultés méthodologiques, peu concluants. Rappelons toutefois que dans l'étude de Lunzer *et al.* (1976) le langage apparaît comme un des meilleurs prédicteurs de l'apprentissage de la lecture.

Diverses études expérimentales mettent en évidence une infériorité des mauvais lecteurs à traiter un matériau de nature linguistique. La plupart des études relatives à la mémoire immédiate ayant utilisé un tel matériau, pourraient être rapportées ici pour argumenter la thèse d'un déficit linguistique spécifique des mauvais lecteurs.

On peut joindre à ces expériences celle de Waller (1976) relative à la reconnaissance de phrases quelques minutes après qu'elles ont été lues. A chaque texte de trois phrases lu au départ (ex. : L'oiseau est dans la cage. La cage est sous la table. L'oiseau est jaune) correspondent des phrases sur lesquelles le sujet doit effectuer un jugement de reconnaissance ; prémisse vraie (l'oiseau est dans la cage), prémisse fausse (la cage est sur la cage), inférence vraie (l'oiseau est sous la table), inférence fausse (l'oiseau est sur le bout de la table), changement de nombre (du singulier au pluriel ou l'inverse), changement de temps (du présent au passé ou l'inverse). Les résultats montrent que les mauvais lecteurs ne font pas davantage d'erreurs que les autres lecteurs en général — ce qui contredit l'hypothèse d'un déficit mnémonique global — mais uniquement dans trois des cas distingués : inférence fausse, nombre, temps. Le traitement d'un matériel verbal significatif par les mauvais lecteurs apparaît donc défectueux au plan des marqueurs grammaticaux plutôt qu'au plan sémantique.

Il s'avère par ailleurs que dans des tâches de dénomination verbale d'objets présentés visuellement (objets usuels, couleurs, lettres, mots, chiffres) les mauvais lecteurs font davantage d'erreurs et ont des temps de dénomination plus longs (Denckla et Rudel, 1976 *a*, 1976 *b* ; Perfetti et Hogaboam, 1975 ; Spring, 1976 ; Spring et Capp, 1974).

Dans des apprentissages de couples associés les mauvais lecteurs ont des performances comparables à celles des lecteurs ordinaires avec un matériel non verbal mais éprouvent des difficultés avec un matériel verbal tel que des syllabes sans signification (Vellutino *et al.*, 1973 ; Vellutino, Harding, Phillips et Steger, 1975 ; Vellutino, Steger, Harding et Phillips, 1975).

Quelques études font état de résultats inférieurs des mauvais lecteurs dans des tâches syntaxiques. Fry (1967) et Schulte (1967) concluent de l'analyse d'un corpus de productions orales d'enfants de deuxième année que les mauvais lecteurs ont des résultats inférieurs aux autres lecteurs en ce qui concerne la fluidité verbale, le vocabulaire, l'organisation et l'intégration, l'usage d'abstractions, la complexité structurale de la phrase.

L'épreuve de morphologie de Berko (1958) donne lieu à davantage d'erreurs chez des mauvais lecteurs de 9 ans, et celles-ci sont moins prévisibles, ce qui suggère qu'ils utilisent moins de règles de grammaire (Wiig, Semel et Crouse, 1973). Les différences observées entre les deux groupes contrastés en lecture apparaissent aux auteurs analogues à celles qui ressortent de la comparaison de deux groupes d'enfants de 4 ans, l'un « à haut risque » et l'autre « à faible risque », et appuient donc la possibilité d'une origine précoce de ces différences.

Le livre de Vogel (1975) présente l'investigation la plus complète de la syntaxe des mauvais lecteurs. L'auteur compare deux groupes de 20 garçons de 8 ans soigneusement appariés.

Les épreuves, inspirées le plus souvent de la psycholinguistique chomskyenne, sont orales et réparties en cinq groupes : jugements portant sur l'intonation (l'enfant indique si la phrase non significative qui lui est dite est déclarative ou interrogative), jugements de grammaticalité (la phrase dite est tantôt correcte, tantôt incorrecte), répétition de phrases, syntaxe et morphologie dans la production verbale (deux tâches morphologiques type Berko (1958), deux tâches orales de closure, une tâche de production spontanée).

L'analyse des résultats manifeste une infériorité des mauvais lecteurs dans trois groupes d'épreuves : jugements d'intonation, répétition de phrases, syntaxe et morphologie dans la production verbale. L'absence de différences significatives dans les jugements de grammaticalité et la compréhension de la syntaxe est due, selon l'auteur, au manque de fidélité des épreuves employées.

D'autres expériences manipulent la présentation physique du texte écrit afin de révéler les éventuelles difficultés syntaxiques des mauvais lecteurs. Ainsi, dans l'expérience de Cromer (1970), les phrases sont présentées soit horizontalement de manière conventionnelle, soit verticalement en colonne, soit avec des séparations syntaxiques (larges espaces blancs entre les syntagmes propositionnels), soit avec des séparations pseudo-syntaxiques (les larges espaces sont répartis arbitrairement). Les réponses aux questions de compréhension ne sont pas réussies également par les différents types de lecteurs distingués par l'auteur. Ce qui l'amène à conclure que certains mauvais lecteurs ont un déficit en syntaxe.

Weinstein et Rabinovitch (1971) font apparaître des suites de mots qui tantôt suivent et tantôt ne suivent pas une structure syntaxique. L'apprentissage des suites asyntaxiques est également réussi par les deux groupes, mais il faut davantage d'essais aux mauvais lecteurs quand il s'agit d'apprendre les suites syntaxiques, ce qui peut s'expliquer par un défaut de maîtrise des règles syntaxiques dont la connaissance faciliterait l'apprentissage.

D'autres recherches explorent l'éventualité d'un déficit au plan phonologique. La difficulté qu'ont les jeunes enfants à dire si les mots qui leur sont présentés oralement par paires et qui ne diffèrent que par un phonème sont pareils ou différents (pain/bain) est un fait établi de longue date mais dont la signification n'est pas claire.

Cette difficulté, d'abord considérée comme l'expression d'un déficit de discrimination auditive due à un retard de maturation (Wepman, 1960, 1971), est considérée ultérieurement comme relevant de facteurs cognitifs exigés par la tâche, puisqu'il apparaît que c'est dans la situation des paires à différence minimale que les mauvais lecteurs ont des problèmes et non pas dans d'autres situations utilisant ce matériel verbal (Blank, 1968 ; Shankweiler et Liberman, 1972 ; Vellutino, De Setto et Steger, 1972). Le fait indiqué par Bentolila (1976) que les enfants d'école maternelle réussissent sans peine à trouver le phonème commun à deux mots (Frédéric/Philippe) alors qu'ils échouent à trouver le phonème différent (pain/bain) va dans le même sens.

Une autre interprétation fait intervenir la notion de « conscience phonétique ». Cette notion, avancée de longue date par Borel-Maisonny (1951) à partir d'observations cliniques, est aujourd'hui, sous la forme plus large de « conscience linguistique », un concept majeur dans les recherches expérimentales tant nord-américaines (Downing, 1979) que soviétiques (Elkonin, 1973).

A l'appui de cette hypothèse on peut citer par exemple les expériences de Shankweiler et Liberman (1972) qui, observant que les mauvais lecteurs ne font pas les mêmes erreurs quand ils répètent un mot oralement et quand ils le lisent, que ces erreurs apparaissent plutôt au milieu ou à la fin des mots qu'à leur début, et qu'elles sont provoquées plus souvent par des consonnes que par des voyelles, en déduisent que les mauvais lecteurs traitent tous les mots comme des unités monosyllabiques faute d'avoir une conscience claire des unités qui composent l'écrit.

D'autres études réalisées par la même équipe de recherches portent sur la segmentation de mots oraux en phonèmes et/ou en syllabes. La tâche du sujet consiste à frapper autant de coups qu'il a perçu d'unités d'un type donné dans le mot qui lui a été dit par l'expérimentateur. Les auteurs rapportent que la segmentation phonémique est plus difficile que la segmentation syllabique, qu'elle est moins réussie au jardin d'enfants qu'en première année (Liberman, Shankweiler, Fisher et Carter, 1974)

et que les enfants ayant eu le plus de peine à réaliser cette tâche
sont aussi ceux qui ont le plus de problèmes à apprendre à lire
(Liberman, Shankweiler, Liberman, Fowler et Fisher, 1977).
Les expériences de mémoire immédiate de ces mêmes chercheurs, utilisant un matériel aux propriétés phonétiques définies, montrent que les mauvais lecteurs se servent moins de
celles-ci que les autres lecteurs (Liberman *et al.*, 1977 ;
Skankweiler et Liberman, 1976).

Quel que soit donc le niveau linguistique considéré, sémantique, syntaxique, ou phonétique, des faits expérimentaux
existent qui peuvent être présentés comme autant d'arguments
permettant de supposer l'existence d'un déficit linguistique
chez les mauvais lecteurs.

5 | DISCUSSION

La position cognitive consiste à chercher l'origine des difficultés d'apprentissage de la lecture dans des directions variées
et notamment comme on l'a vu du côté de l'intelligence, de la
perception, des images, de l'intégration intersensorielle, de
l'attention sélective, de la mémoire à court terme, du langage.
Il convient à présent de se demander dans quelle mesure la
position ainsi illustrée permet de répondre de manière satisfaisante à l'interrogation sur l'origine des difficultés d'apprentissage de la lecture.

5.1 – La démarche de recherche et ses présupposés

La démarche de recherche suivie est à peu près exclusivement différentielle. La quasi-totalité des travaux consiste en
effet en la recherche de différences entre un groupe de mauvais
lecteurs et un groupe de lecteurs ne présentant pas de problèmes
de lecture et qui est apparié au premier suivant des critères
variables en nature et en nombre.
    Le choix de ces critères repose souvent sur la volonté de
disposer d'un groupe de mauvais lecteurs qui corresponde à la
définition officielle de la dyslexie d'évolution ce qui, en toute
rigueur, devrait conduire à exclure de l'échantillon les enfants

ne répondant pas aux conditions d'enseignement, d'intelligence, de milieu social et d'origine constitutionnelle marquées dans la définition.

En fait, si les enfants à faible QI (« 85-90) sont presque toujours exclus de l'échantillon, le respect des autres critères varie d'un auteur à l'autre. La plupart des auteurs pèchent par défaut, certains par excès (Vogel, 1975, par exemple ajoute aux critères indiqués la compréhension du vocabulaire). Une seule recherche (Taylor, Satz et Friel, 1979) applique intégralement la définition, en vue précisément de voir si elle permet de différencier par des comportements spécifiques le groupe de « dyslexiques » ainsi sélectionné d'un autre groupe de mauvais lecteurs « non dyslexiques », et conclut par la négative.

Reed (1970) et Valtin (1980) voient précisément dans les différences de critères présidant à la constitution des échantillons l'origine des contradictions observées d'une recherche à l'autre. A cet inconvénient, qui amène Valtin à se demander si le déficit se trouve dans la recherche ou dans la lecture, on peut ajouter la gêne que constitue l'impossibilité qu'il y a à généraliser les conclusions des recherches à la fraction de la population scolaire, somme toute importante, dont le QI est faible.

A côté des recherches différentielles, quelques recherches, peu nombreuses, suivent une démarche de type clinique pathologique consistant en l'examen approfondi d'un groupe de mauvais lecteurs et ne comportent pas de groupe témoin (Borel-Maisonny, 1951).

Les tâches proposées aux sujets sont de provenances diverses. Les premières recherches utilisent très souvent des épreuves qui ont fait leurs preuves en neurologie. C'est ainsi que l'on trouve par exemple dans le matériel choisi par Galifret-Granjon (1951) pour étudier l'organisation de l'espace des épreuves utilisées dans l'examen des aphasiques (Head, Goldstein), des traumatismes crâniens (Poppel-Reuter), ou des alexiques (Ombredane). Le *Manuel pour l'examen psychologique de l'enfant* (R. Zazzo, 1979) qui est le fruit de ce courant de recherches, comporte nombre de tests de cette origine.

D'autres tâches sont réalisées sur un modèle psychométrique. Ainsi en est-il par exemple des épreuves de mémoire immédiate de Fijalkow et Simon (1978) dont le subtest de mémoire des chiffres des tests d'intelligence constitue le modèle.

Dans la plupart des recherches récentes, la fonction inspiratrice occupée hier par la clinique neurologique revient maintenant à la psychologie expérimentale : apprentissage de couples à la manière de Underwood et Schultz (1960), mémoire immédiate suivant le paradigme de Conrad (1964), ou études des morphèmes grammaticaux dans le prolongement de Berko (1958).

5.2 – Les méthodes de vérification

Les recherches comparant deux groupes d'enfants contrastés en lecture dans une tâche mettant en œuvre une fonction cognitive supposée intervenir dans l'acte lexique ou dans son apprentissage visent le plus souvent à établir une différence et y parviennent. Les auteurs en concluent généralement que cette différence démontre l'existence chez les mauvais lecteurs d'un déficit de la fonction étudiée et la responsabilité de ce déficit dans les difficultés d'apprentissage de la lecture.

Ce raisonnement est à la base des investigations qui, de fonction en fonction, cherchent à découvrir le (ou les) mécanisme(s) cognitif(s) déficient(s). A la lecture des récentes revues de travaux comme celles de Guthrie et Tyler (1978), Jorm (1979), Vernon (1977, 1979), Vellutino (1977), Wong (1979 *a*, 1979 *b*), on peut, par exemple, identifier une trajectoire allant de la perception au langage en passant par la mémoire immédiate. Sans doute tous les auteurs n'épousent-ils pas ce mode de raisonnement et certains même en dénoncent-ils les dangers (Galifret-Granjon, 1952, 446-447 ; Torgesen, 1977 *a*), mais celui-ci n'en demeure pas moins le raisonnement-type de ce courant de recherches.

La question fondamentale qui se pose donc à la lecture de ces nombreux travaux est celle de savoir s'il est possible, partant du constat d'une différence, d'en conclure à l'existence d'un déficit cognitif et au rôle déterminant de celui-ci dans les difficultés à apprendre à lire.

Le constat d'une différence, s'il constitue un argument sans doute nécessaire, ne devrait pourtant pas être considéré comme un fait suffisant pour affirmer l'existence d'un déficit cognitif.

Un mécanisme cognitif, en effet, a une valeur générale dans

la mesure où il intervient dans la réalisation de plusieurs comportements. Il s'ensuit que, s'il est déficient, plusieurs comportements doivent en porter la marque. Pour pouvoir affirmer la présence d'un déficit cognitif il convient donc de montrer que, au-delà de difficultés dans le traitement de l'écrit et dans des tâches expérimentales spécifiques, certains autres comportements sont affectés. Sur un mode global on doit s'attendre à ce que les mauvais lecteurs rencontrent des difficultés dans l'apprentissage cognitif par excellence que constituent les mathématiques ou, s'ils ont vraiment un déficit linguistique, à ce qu'ils éprouvent des difficultés dans leurs communications verbales ; sur un mode plus particulier, à ce qu'un déficit de mémoire immédiate aille de pair avec des difficultés en calcul mental.

On observe, en fait, que peu d'études associent à l'affirmation d'un déficit cognitif la vérification de sa manifestation dans d'autres comportements. Rares par exemple sont les enquêtes qui complètent l'administration d'un test de lecture par celle d'un test de calcul.

A ceci on peut ajouter qu'espérer instituer un savoir à l'aide d'une seule méthode, en l'occurrence différentielle, est risqué car les artefacts propres à cette méthode peuvent induire en erreur. L'accent mis en sociolinguistique sur l'effet que peut avoir sur les performances la représentation que se fait l'enfant de la situation d'interrogation en fonction de son milieu d'origine (Labov, 1969) invite à la prudence. Des études expérimentales (Desporte, 1975) confirment que le milieu expérimental n'est pas, dans les sciences humaines, un milieu neutre. Mieux vaut de ce fait considérer le résultat d'une étude différentielle comme une invitation à poursuivre la recherche par d'autres moyens plutôt que comme une conclusion définitive.

Considérant l'étude différentielle comme le premier temps d'une investigation objective née d'une observation clinique ou d'une déduction théorique telle celle de Satz, Rardin et Ross (1971), celle-ci doit, selon nous, se continuer par des études expérimentales, génétiques et d'apprentissage comme il a été proposé par ailleurs (Fijalkow et Simon, 1976).

Il s'agit, sur le plan expérimental, de s'assurer par des expériences portant sur l'acte lexique de lecteurs ordinaires que le mécanisme cognitif invoqué intervient effectivement dans la

lecture et qu'il y joue le rôle qu'on lui prête. Le décalage existant entre les études expérimentales de l'acte lexique et les
études différentielles des difficultés d'apprentissage de la lecture, tant en ce qui concerne les représentations de l'acte
lexique que le degré d'élaboration théorique des mécanismes
cognitifs, amène à penser qu'un tel prolongement est rarement
jugé utile.

La fonction de l'étude génétique est autre : elle permet de
s'assurer que la différence constatée préexiste à l'enseignement
de la lecture et peut donc être considérée comme une caractéristique durable des mauvais lecteurs plutôt que comme une
réaction passagère à des contingences de leur environnement.

La littérature comporte quelques études prédictives outre
celles utilisant le QI comme prédicteur : Bakker (1972) ; Barker
(1976) ; De Hirsch *et al.* (1968) ; Ferguson (1975) ; Groenendal
et Bakker (1971) ; Inizan (1963) ; Lunzer *et al.* (1976) ; souvent
réalisées à des fins professionnelles — construction d'un instrument de pronostic par exemple —, elles apparaissent rarement
comme un moyen de vérification de la conclusion issue d'une
étude différentielle. Ceci n'empêche pas qu'une lecture attentive
puisse en tirer quelques bénéfices sur ce plan.

L'intérêt d'une vérification par l'apprentissage apparaît
plus souvent. Afin de s'assurer que le mécanisme cognitif joue
bien le rôle qu'on lui attribue dans la lecture on peut en effet
exercer spécifiquement ce mécanisme chez les mauvais lecteurs.
Si cet exercice s'avère avoir un effet bénéfique sur la lecture, la
déduction que le mécanisme entraîné est bien à l'origine des
difficultés en lecture des mauvais lecteurs est recevable.

Les rééducations que l'on appelle instrumentales conduites
dans le monde anglo-saxon concernent essentiellement les mécanismes perceptifs et le langage. L'examen psychométrique des
performances du sujet dans le domaine perceptivo-moteur
(Frostig, Maslow, Lepever et Whittlesey, 1964) ou verbal (Test
d'Habiletés psycholinguistiques de l'Illinois de McCarthy et
Kirk) est au départ de programmes de rééducations spécifiques
qui leur correspondent.

Les synthèses qui ont été faites des multiples évaluations
des effets produits par ces programmes sur les résultats en
lecture des mauvais lecteurs aboutissent à un constat d'échec,
plus ou moins nuancé selon le rapporteur (Karlin, 1980 ; Vellu-

tino *et al.*, 1977 ; Williams, 1977 ; Wong, 1979 *a*). Ces rééducations ne confirment donc pas l'existence d'un déficit perceptif ou verbal chez les mauvais lecteurs.

On ne saurait en conclure pour autant que toute rééducation de ce type est vouée à l'échec car la littérature fait apparaître des cas où un entraînement spécifique en mémoire immédiate (Rusalem, 1972) ou dans des activités verbo-auditives ponctuelles (Williams, 1977, 284) s'avère apporter une certaine amélioration à la lecture.

L'éducabilité des mauvais lecteurs est également confirmée par le succès d'autres programmes dont le caractère très directif, la relation privilégiée avec le conditionnement opérant, la structure très programmée sont caractéristiques (Wong, 1979 *a*). Leur présentation ne permet toutefois pas de distinguer quels mécanismes cognitifs ils font jouer.

On peut considérer comme un mode de vérification également intéressant le fait d'exercer un mécanisme cognitif déterminé avant l'enseignement formel de la lecture et d'évaluer après un certain temps d'enseignement l'effet éventuel de cet exercice sur la lecture, par comparaison avec un groupe témoin. Hays et Perreira (1972) montrent, suivant ce plan, qu'un entraînement de la mémoire visuelle au jardin d'enfants permet aux enfants qui en font l'objet d'obtenir de meilleurs résultats dans leur apprentissage de la lecture en première année.

Diverses méthodes existent donc permettant de s'assurer que le mécanisme cognitif postulé à l'issue de l'étude différentielle est bien responsable des difficultés d'apprentissage de la lecture rencontrées. Prise isolément aucune d'elles n'est suffisamment probante. La conjonction de plusieurs d'entre elles paraît nécessaire pour que l'expression d'un déficit cognitif soit solidement fondée.

5.3 – Position cognitiviste et position organiciste

Chronologiquement la position cognitiviste est seconde par rapport à la position organiciste et entretient de ce fait avec elle des rapports complexes faits à la fois d'oppositions et d'accords. La position cognitiviste apparaît donc simultanément comme marquant un changement et demeurant en continuité avec la position antérieure.

Le changement apparaît dans le fait que les recherches concernent maintenant la vie mentale et non plus la sphère cérébrale. Ce ne sont plus les structures nerveuses qui sont étudiées mais les fonctions psychologiques. Un glissement s'opère de l'organique au fonctionnel, du physique au psychologique. L'objet d'étude est en quelque sorte plus éthéré, il est examiné sans se préoccuper de son support physiologique.

Le changement devient rupture quand, après quelques années consacrées à asseoir leurs bases, les instrumentalistes déclenchent une polémique à l'encontre des organistes à propos du concept de « dyslexie » (Andrey, 1958, 1961 ; Inizan, 1973 ; Simon, 1962). La position instrumentaliste s'affirme alors non plus à côté mais contre la position organique à laquelle elle conteste la capacité d'expliquer avec son armature conceptuelle propre l'ensemble des cas observés. Ces luttes de territoire, aussi spectaculaires soient-elles, ne doivent pourtant pas empêcher de percevoir que, sous les changements apparus et au-delà des vigueurs de la polémique, de solides éléments de continuité demeurent.

En France, la continuité provient sans doute du rôle moteur de l'équipe de l'hôpital Henri-Rousselle dirigé jusqu'en 1958 par Ajuriaguerra, des positions, chez les psychologues scolaires, de René Zazzo dont la pensée réserve toujours une place importante aux déterminants biologiques, et des dépendances dans lesquelles les rééducateurs comme Borel-Maisonny demeurent vis-à-vis de la médecine.

De cette continuité le vocabulaire témoigne : pour désigner les mauvais lecteurs René Zazzo reprend à son compte l'expression de « dyslexies d'évolution » (1951, 385) léguée par la conception organiciste, tandis que Galifret-Granjon faisant un pas de plus s'efforce de distinguer les « faux dyslexiques » des vrais (1953, 510).

Les épreuves à l'aide desquelles on explore les difficultés cognitives des mauvais lecteurs sont d'origine médicale comme nous l'avons vu à propos des troubles spatiaux étudiés par Galifret-Granjon (1951), et leur adoption même révèle une permanence de l'hypothèse organiciste fondamentale assimilant les difficultés d'apprentissage de la lecture de l'enfant aux troubles de la lecture de l'adulte consécutifs à une blessure cérébrale. Cette filiation est explicite par exemple chez Stambak

(1951, 480) : la recherche d'un problème de rythme chez les mauvais lecteurs est indiquée venir des observations faites par Head et Van Woerkom chez les aphasiques, renforcées d'observations d'enfants mauvais lecteurs.

On note par ailleurs que le concept de « maturation » dont il est fait grand usage par les instrumentalistes provient des organicistes qui l'ont eux-mêmes repris de la biologie, et que celui d' « instruments » (Ajuriaguerra, 1951, 390) est d'origine neurologique tout comme la « latéralité » à laquelle l'équipe d'Ajuriaguerra confère longtemps un rôle capital (Diatkine, 1963, 288) sous la forme « mentalisée » d'organisation spatiale. On remarque, plus généralement, à quel point les premières fonctions étudiées — espace, temps, schéma corporel — sont liées au corps.

Le trait caractéristique de ce courant de recherches en ses débuts est donc le fait qu'il procède à partir d'une importation massive de méthodes et de concepts provenant du courant organiciste, surtout neurologique, beaucoup plus qu'à partir de l'observation naïve sur le terrain des difficultés des enfants confrontés à la langue écrite. Ce transfert massif d'outils théoriques et méthodologiques d'un champ à l'autre marque très clairement le courant cognitiviste en ses débuts. Il semble donc que de la conception organiciste à la conception instrumentaliste il y ait plutôt évolution que révolution. Un cordon ombilical relie les deux conceptions qui fait que la conception organiciste se continue, modifiée, dans la conception cognitiviste.

Les recherches ultérieures se démarquent davantage du courant organiciste pour s'inspirer plutôt, comme nous l'avons vu, de la psychométrie et surtout de la psychologie expérimentale. Ceci confère aux recherches développées sur ces modèles un visage différent de celui des réalisations initiales mais le changement est de surface, les options fondamentales de la position organiciste demeurent. La conviction que les difficultés d'apprentissage de la lecture sont dues à un retard de maturation est présente chez tous les auteurs, assortie du principe que le trouble cognitif est l'expression d'un trouble de nature physiologique.

Les recherches cognitivistes actuelles ne constituent donc, vues sous cet angle, qu'une variante des recherches organicistes dans la mesure où elles reposent, comme elles, sur le postulat que la cause ultime est organique. C'est, par exemple, la position de Rutter et Yule (1975) qui voient au fondement des problèmes d'apprentissage de la lecture un défaut de maturation, celle de Vogel (1975) dans ses études sur la syntaxe, celle de Vernon (1977, 1979) qui tente de faire correspondre à chacun des groupes de mauvais lecteurs qu'il distingue un problème physiologique spécifique, celle de Jorm (1979) pour qui l'infériorité des mauvais lecteurs en mémoire immédiate est imputable à un dysfonctionnement du lobe pariétal.

La différence entre les cognitivistes et les organicistes est en fait d'ordre technique. Elle est relative au niveau d'appréhension des phénomènes. Les cognitivistes travaillent au niveau des activités intellectuelles et les organicistes au niveau des mécanismes physiologiques. Les uns recherchent les troubles fonctionnels au plan psychologique, les autres au plan physiologique. Les cognitivistes ne considèrent pas les thèses organicistes comme des thèses erronées mais soit comme des thèses dont la vérification directe leur échappe, soit comme des thèses dont l'expression est encore prématurée (Vernon, 1979, 14). Ce qui sépare les deux conceptions relève, dans le premier cas, de la compétence technique et, dans le second, des étapes successives de la recherche. Pour les uns comme pour les autres le niveau d'étude cognitif est d'ordre descriptif, l'explication se trouve au niveau physiologique.

Des recherches récentes (Torgesen, 1977 *a, b* ; Torgesen et Goldman, 1977) mettent en question la conviction cognitiviste héritée des organicistes que le fondement des difficultés cognitives est physiologique et dépend de la maturation cérébrale. Considérant comme Jorm (1979) que la mémoire immédiate fait problème aux mauvais lecteurs, Torgesen et Goldman diffèrent de celui-ci en ce qu'au lieu d'y voir l'effet d'un dysfonctionnement cérébral ils y voient l'effet de contingences indéfinies et modifiables de l'environnement. Ils réalisent donc des expériences au cours desquelles les mauvais lecteurs se voient enseigner une technique cognitive mnémonique, l'autorépétition verbale, qui leur permet d'améliorer leurs résultats dans les épreuves de mémoire immédiate de façon telle que les différences qui, en ce domaine, les séparent des lecteurs ordinaires ne sont plus significatives.

Il apparaît donc que les différences de mémoire immédiate

des mauvais lecteurs ne sont pas aussi solidement fondées que ne le croient les cognitivistes, ce qui met en question le postulat physiologique et maturatif de Jorm (1979).

Ce type d'expérience illustre une position théorique exposée par Torgesen (1977 *a*) selon laquelle les différences cognitives observées entre mauvais lecteurs et lecteurs ordinaires ne sont pas à interpréter comme la manifestation de déficits cognitifs mais comme une « inhabileté ou un défaut d'inclination à développer et à utiliser des stratégies de tâche efficaces » (Torgesen et Goldman, 1977 *a*, 56).

Ce type de position amène à considérer les comportements étudiés, en situation de lecture ou dans les tâches expérimentales, comme l'effet de variables environnementales, familiales ou scolaires. Ces comportements peuvent alors apparaître comme la manifestation d'erreurs cognitives dans le traitement de la tâche, consécutives à une représentation erronée de celle-ci ou des activités cognitives qu'elle demande. Le postulat qu'un déficit cognitif à base physiologique est responsable des difficultés d'apprentissage de la lecture se voit donc remis en question de cette façon également.

6 | CONSÉQUENCES PROFESSIONNELLES

Sur le plan professionnel l'approche instrumentale apparaît comme celle de praticiens de l'éducation, au même titre que l'approche organiciste apparaît comme celle des milieux médicaux et paramédicaux. Il y a coïncidence entre théorie et secteur d'activité professionnelle.

Le succès important que connaît la position instrumentale dans le monde scolaire a des effets importants. Ainsi, en ce qui concerne le diagnostic, le psychologue scolaire tend à occuper le rôle hier dévolu aux médecins puisque, étant dans l'école, c'est à lui en premier lieu que l'on signale un enfant ayant des problèmes en lecture. Sa démarche consiste alors, sur la base de concepts d'instrumentalités identifiées par la recherche, et au moyen de tests élaborés par la suite, à mettre à jour chez l'enfant en difficulté les instrumentalités déficientes jugées responsables de ses problèmes. Diatkine (1963) et Carric (1977) présentent des illustrations de cette démarche.

Par ailleurs, les procédures d'orientation et de sélection des
enfants dans la vie scolaire — passages anticipés en CP, constitution de groupes de niveau, décisions de redoublement ou
de passage de classe, admissions en classe spéciale notamment —
reposent largement sur des tests qui, tels ceux d'Inizan (1963,
1972) sont fondés sur la conception instrumentale.

L'influence exercée par cette conception sur les pédagogues
est également considérable. Les psychologues scolaires œuvrent
activement dans ce but, comme en témoigne le *Bilan des
éléments apportés en matière de psychologie* effectué par Andrey,
Coste, Inizan, Simon, Saint Marc (1958), qui présente les thèses
instrumentales et suggère des prolongements pédagogiques.

L'école maternelle, dans la mesure où elle est en grande
partie conçue comme une propédeutique à l'apprentissage de
la lecture, est particulièrement visée par ces conseils pédagogiques (Andrey, 1958, 86) et, de fait, sa pédagogie en est
profondément marquée : nombre d'exercices de rythme, d'orientation dans le temps et l'espace, proviennent directement de
la conception instrumentale. Considérant que pour être en
mesure d'apprendre à lire il faut être en possession d'un
ensemble de moyens instrumentaux qui interviennent dans l'acte
de lire, ceux-ci sont traités comme des « prérequis » à l'apprentissage de la lecture et suscitent des activités spécifiques.

Si l'influence de la conception instrumentale est particulièrement spectaculaire dans le cadre de l'école maternelle, elle est
aussi décelable ailleurs : à l'école primaire, dans les rééducations
et, plus encore, en éducation physique (Barthoumeyrou, 1981).

Au-delà même des pratiques pédagogiques, la conception
instrumentale contribue à façonner des opinions relatives à
la lecture. On peut par exemple rapporter au concept de maturation tant la représentation des causes des retards en lecture
qui, selon une enquête de Lefavrais (1979, 14) est attribuée
par les maîtres principalement au facteur : « retard intellectuel, immaturité », que le fait de subordonner l'âge de début
d'enseignement de la lecture à un niveau de maturation
(Ajuriaguerra, 1977, 362).

L'importance prise dans les milieux éducatifs par la conception instrumentale des difficultés d'apprentissage de la lecture
contraste donc fortement avec la fragilité des arguments qui
peuvent être avancés aujourd'hui pour la soutenir.

CHAPITRE III

Les troubles affectifs de la personnalité

La présentation des positions relatives aux difficultés d'apprentissage de la lecture se limite généralement à une confrontation entre les positions dites « médicale » et « éducative » (voir par exemple Monaghan, 1980 ; Stambak *et al.*, 1972, 165-169) que nous avons préféré qualifier d' « organique » et d' « instrumentale » ou « cognitive ».

Ces deux positions, quel que soit leur impact social, ne suffisent pourtant pas à rendre compte de la diversité des positions existantes. Il nous paraît donc nécessaire de distinguer maintenant une troisième position qui pose l'existence de troubles affectifs ou de caractéristiques de personnalité comme déterminant l'apparition de difficultés dans l'apprentissage de la lecture. Pour ce faire nous examinerons les travaux inspirés par la psychanalyse.

1 | LE CONTEXTE

Le fait de mettre au premier plan des facteurs de type affectif est dans le contexte français récent, lié à l'importance croissante des institutions extra-scolaires de prise en charge des enfants en difficulté. En nous limitant à une seule institution, on note que c'est dès 1946 que sont créés des centres psycho-pédagogiques (CPP) dont le plus célèbre, le centre Claude-Bernard, est animé par Mauco, Favez-Boutonier et Berge (voir Andrey et Le Men, 1968, 30-31). Les CPP apparaissent comme les précurseurs des centres médico-psycho-pédagogiques (CMPP), y compris dans leur orientation psychanalytique, si l'on en croit notamment le témoignage récent d'un directeur du centre Claude-Bernard (Bley, 1978, et Maud Mannoni, 1964, 147). Pendant la période de 1946 à 1963 les CPP jouent un rôle relativement effacé par rapport à celui que connaîtront les CMPP créés par un décret du 18 février 1963.

Ce décret constitue une étape importante dans l'histoire des conditions qu'offre la société française à l'extension d'un type d'approche théorique. L'application généralisée de la position affectiviste, et des thèses psychanalytiques en particulier, au problème des difficultés d'apprentissage de la lecture paraît en effet dépendre étroitement du développement du CMPP comme institution. Celui-ci peut être considéré comme la base institutionnelle de l'essor de celle-là dans ce champ de travail.

On peut remarquer alors le parallèle qui existe entre la création du corps des psychologues scolaires et le développement de la position instrumentale d'une part et, d'autre part, la création des CMPP et le succès rencontré par la position affectiviste.

2 | LA PSYCHANALYSE

Disposant pour la psychanalyse de sources d'information en langue française nous nous en tiendrons pour l'essentiel à celles-ci, bien que l'on puisse supposer que l'antériorité du développement de la psychanalyse enfantine chez les Anglo-Saxons (par exemple Anna Freud, 1935 ; Anna Freud et Burlingham, 1944 ; Blanchard, 1946) ait eu quelque effet sur les premiers psychanalystes français à s'être intéressés à ce domaine.

2.1 – Enoncé des thèses psychanalytiques

Ce qui frappe alors c'est la minceur des productions écrites consacrées à cette question. En langue française, l'ouvrage de Cahn et Mouton (1967) est, à notre connaissance, le seul à présenter la question sous un angle à peu près exclusivement psychanalytique, celui de Chiland ne l'abordant que partiellement ainsi (Chiland, 1971, surtout 238-246). Plusieurs articles ou communications de Cahn (1972), Diatkine (1963, 1972, 1973, 1979), Maud Mannoni (1964) et Mathis (1955) sont consacrés spécifiquement à ce problème. Des remarques faites en passant par Dolto (1965, 1979) et Maud Mannoni (1965) complètent une bibliographie dont la brièveté étonne quand on sait la faveur dont jouit l'approche psychanalytique dans le champ professionnel de la clinique et le volume des publications psychanalytiques de ces dernières années se rapportant à des thèmes divers. Le faible nombre au total des écrits consacrés à cette question contraste curieusement avec l'abondance des publications qu'elle a inspirées aux courants organiciste et cognitiviste.

2.1.1 – L'origine. — L'origine primaire des troubles affectifs associés aux difficultés d'apprentissage de la lecture est posée d'emblée par Bettelheim :

> « Mon expérience avec des enfants affectivement perturbés indique que les difficultés de lecture se manifestent plus précocement que les troubles affectifs graves mais que, en ce qui concerne la causalité, c'est réellement l'inverse qui se produit » (1979, 174).

Suivant le courant psychanalytique la détermination de l'origine des difficultés d'apprentissage de la lecture exige l'identification des conflits dont l'enfant est l'objet, ce qui renvoie à l'analyse de ses relations objectales. La présence d'un arrière-plan familial conflictuel à l'origine des difficultés d'apprentissage de la lecture caractérise le courant psychanalytique :

> « Si le débile semble avoir « sa place » dans la famille, le dyslexique est en conflit plus ou moins ouvert avec les siens, on « n'admet pas » son infortune (la mère sera souvent de type hystérique) » (Mannoni, 1964, 182).

La psychanalyse est donc la première position théorique que nous examinions qui prenne en compte des facteurs étrangers à l'enfant lui-même, dans la mesure où le rôle qu'elle fait jouer à la structure relationnelle familiale au sein de laquelle

il se développe est déterminant. Avec le courant psychanalytique, ce qui apparaît fondamental c'est l'état socioaffectif
de l'enfant au moment de l'apprentissage de la lecture et non
plus, comme dans les deux positions théoriques déjà vues, l'état
de son cerveau ou celui de son équipement cognitif.

2.1.2 – Pluralité et variabilité. — Les écrits psychanalytiques mettent en avant la complexité d'un déterminisme
caractérisé à la fois par la pluralité et la variabilité des facteurs
jugés susceptibles de conduire à des difficultés dans l'apprentissage de la lecture.

Les facteurs présentés par les psychanalystes sont, par
ailleurs, de nature variable. Plusieurs auteurs illustrent cette
variabilité. Diatkine conclut ainsi une recherche sur un ensemble
de cas :

> « Les dyslexies et les dysorthographies graves s'observent fréquemment
> chez des enfants ayant de grandes difficultés relationnelles » (1963, 347).

Cahn évoque

> « l'importance et la diversité des constellations conflictuelles à l'origine
> de tels troubles » (1962, 77).

et, plus loin,

> « En ce qui concerne les conflits affectifs, toutes les constellations conflic-
> tuelles peuvent être rencontrées » (*ibid.*, 83).

La même attitude apparaît chez Chiland :

> « L'enfant arrive parfois à l'âge de 6 ans trop handicapé par son histoire
> antérieure. De ce handicap « affectif » on ne peut donner des formulations
> simples ; il n'y a pas un « portrait psychanalytique » de l'enfant dys-
> lexique. Ce que les théories psychanalytiques apportent permet de
> comprendre la grande variété des tableaux cliniques et pourquoi l'acti-
> vité de lecture est particulièrement fragile » (Chiland, 1971, 240).

Pour Manonni également la variabilité est la règle et les
difficultés scolaires ne sont que le contrecoup de problèmes qui
se situent ailleurs (1964, 177-178).

2.1.3 – Le symptôme. — La description des difficultés
d'apprentissage de la lecture aussi bien que l'identification des
facteurs qui en sont responsables sont suffisamment souples
pour permettre, suivant l'approche psychanalytique, d'autres

modes d'approche du phénomène. De fait, on observe, complémentairement à l'origine conflictuelle énoncée, une autre caractérisation par assimilation de l'objet nouveau à un objet antérieurement théorisé. De la même façon donc que les organicistes ont assimilé les difficultés d'apprentissage de la lecture à l'aphasie, la psychanalyse les assimile à une « inhibition intellectuelle » et y voit l'effet de « l'infiltration de la fonction par un conflit envahissant, conscient ou inconscient » (Cahn, 1972, 77).

Pour Chiland :

> « La dyslexie est ainsi l'équivalent d'un symptôme névrotique (ou psychotique), et l'expression de « névrose des fonctions cognitives » que proposent Cahn et Mouton (1967) a le mérite de le souligner » (1971, 243).

De cette valeur de symptôme névrotique, Mannoni fournit un exemple dans le conpte rendu qu'elle fait de la psychothérapie d'Isabelle. On y trouve cette formulation :

> « Dès la quatrième séance, Isabelle situe son problème : elle dit en clair que sa dyslexie est un équivalent d'épisode anorexique » (1964, 66).

Les difficultés d'apprentissage de la lecture ne sont donc pour les psychanalystes qu'un symptôme dont il faut aller chercher l'origine dans la dynamique familiale. Pour Mannoni :

> « C'est en ne prenant pas à la lettre la demande des parents que le psychanalyste permettra que la porte s'entrouvre sur le champ de la névrose familiale, masquée, figée dans le symptôme dont l'enfant devient le support [...] chaque fois la même question s'impose à moi : Qu'y a-t-il donc, de non communicable en mots, qui se fige dans un symptôme ? » (1964, 56).

A propos du cas de Simon, elle parle encore d'

> « un symptôme qui était pour l'enfant une forme de langage, c'est-à-dire le seul moyen à sa disposition d'exprimer ses difficultés » (1964, 75).

2.1.4 – La dimension génétique et l'Œdipe. — On retrouve par ailleurs, appliquées aux difficultés d'apprentissage de la lecture, les caractéristiques classiques de

> « l'approche psychanalytique dans sa triple dimension dynamique, topique et économique » (Cahn, 1972, 77).

De ces dimensions, la composante génétique — partie de la dimension dynamique — occupe une place particulièrement

importante puisque c'est par elle aussi que sont définies les
difficultés d'apprentissage de la lecture :

> « La dyslexie [...] n'est que le symptôme d'une évolution qui ne se fait
> pas [...] un trouble de l'évolution psychologique » (Chiland, 1971, 243).

Il est possible, sur cette base, de distinguer différents cas.
Cahn (1972, 80-81), suivant le principe général selon lequel

> « la situation d'apprentissage de la lecture ou de l'écriture actualise
> un conflit »,

en distingue quatre :

1 / conflit entre les « pulsions *voyeuristes* » actualisées par
l'aspect visuel de la lecture et « la culpabilité consubs-
tantielle à l'ensemble de ces désirs » ;

2 / « la maîtrise de l'écriture a plus ou moins à voir avec
l'érotisme moteur, lui-même articulé aux conflits de
la phase anale » ;

3 / conflit œdipien dans la mesure où « apprendre à lire
revêt un sens précis par rapport au désir et à la peur
d'être égal ou supérieur au père, d'être admiré par la
mère et, donc, de pouvoir ou non se référer et s'identifier
au tiers, par-delà la relation duelle avec la mère » ;

4 / conflit entre la rassurante « mise à distance des pulsions »
que permet la pratique du système de représentation
que constitue l'écrit, et « le désir de rester dans un
registre plus proche de la créativité spontanée et de la
liberté expressionnelle de la langue parlée et, au niveau
du graphisme, du dessin ».

Diatkine met aussi l'accent sur le point de départ œdipien
mais avec une formulation différente de celle de Cahn :

> « L'enfant peut être trop engagé dans une relation œdipienne actuelle
> pour avoir le moindre recul devant le langage, moyen de communication
> et d'action faisant en quelque sorte partie de lui-même. L'investisse-
> ment narcissique du langage empêche l'enfant de le considérer comme un
> objet d'étude et d'analyse » (1963, 347).

2.1.5 – La relation mère-enfant. — Chez Mannoni c'est le
conflit avec la mère qui apparaît plus spécifiquement :

> « [...] l'on peut retrouver, à des degrés divers, des perturbations dans les
> relations avec la mère, qui peuvent aller des traits phobiques légers
> jusqu'à la structure schizoïde » (1964, 182)

et, de manière plus explicite :

« c'est ce qui m'a paru le plus caractéristique dans l'expérience très limitée que j'ai des enfants dyslexiques : nous assistons toujours, à un moment donné, à une transformation radicale dans la relation mère-enfant, la mère donnant à l'enfant le droit à une vie autonome, alors qu'auparavant il était implicitement tenu d'épouser ses désirs ou son rythme à elle. C'est lorsque l'enfant, en accord avec la mère, n'a plus à refuser le jeu maternel qu'il peut se retrouver [...] » (1964, 178).

2.1.6 – Le langage. — Dolto (1979) évoque, par ailleurs, l'existence de conflits chez l'enfant du désir et de l'interdit attenants aux ambiguïtés de la langue française. Ainsi en est-il du verbe « lire » :

« Au temps présent : je lis, tu lis, il ou elle lit ; il y a ce problème « li » qui devient un ordre, alors que c'est interdit, lorsqu'on a des parents difficiles, qui ont la manie tout au long de l'enfance de protéger leurs garçons et filles par rapport à la curiosité des jeux sexuels charnels que sous-entend ce phonème « li » (*t* des parents) » (Dolto, 1979, 15) ;

et, plus loin :

« Est-ce qu'un enfant neutre CA lit (salit, c'est caca, salir c'est pas bien). Alors, lire n'est-ce pas défendu ? » (*ibid.*, 18),

ou du mot « maîtresse » :

« [...] cet enfant devenu élève d'une maîtresse, mot qui met (pourquoi donc ?) le couple impersonnel des parents en bataille quand, se cachant des enfants Papa et Maman parlent de celle de Papa » (*ibid.*, 19).

A l'origine des difficultés d'apprentissage de la lecture la psychanalyse propose donc une grande diversité de conflits affectifs. L'affirmation du caractère primaire de ceux-ci, c'est-à-dire le fait qu'ils préexistent à l'enseignement de la langue écrite, fait de la psychanalyse une forme caractérisée de la position affectiviste. Cette position est, sans nul doute, celle que privilégient, en France, aujourd'hui, les psychanalystes, psychiatres, psychologues cliniciens et, plus généralement, les praticiens du domaines de la santé.

2.2 – Discussion des thèses psychanalytiques

2.2.1 – L'hétérogénéité. — La rareté des textes psycha-nalytiques consacrés aux difficultés d'apprentissage de la lecture contraste avec la diversité des facteurs invoqués pour rendre compte de leur origine.

Bien que l'ensemble des auteurs consultés s'accorde à chercher dans la structure familiale la source des difficultés scolaires de l'enfant et affirme le principe de la variabilité selon les cas des causes originelles, la comparaison des facteurs invoqués par les divers auteurs n'en laisse pas moins une impression de forte hétérogénéité. On s'étonne du fait que d'un auteur à l'autre la liste des facteurs invoqués comporte aussi peu de recouvrements, que les différents auteurs n'aient que si rarement identifié des facteurs identiques. Il est rare qu'un facteur énoncé par un auteur le soit également par un autre. La structure œdipienne semble en fait être le seul facteur causal que tous les auteurs aient rencontré dans leur expérience. Ce sentiment d'hétérogénéité s'accroît de ce que, à de rares exceptions près, les théorisations sont effectuées sans référence aux théorisations psychanalytiques antérieures. Tout se passe presque comme s'il y avait autant de positions psychanalytiques des difficultés d'apprentissage de la lecture qu'il y a de psychanalystes. Après lecture de ces travaux on demeure avec un sentiment d'insatisfaction théorique due à l'absence d'une organisation, si faible soit-elle, du champ causal (catégories, ordre de fréquence).

Plusieurs hypothèses sont susceptibles de rendre compte de cet état de fait. Pour l'une d'entre elles, la question de la lecture n'a pas, à ce jour, provoqué un intérêt suffisant auprès des psychanalystes pour avoir suscité un véritable effort de systématisation.

Dans ce cas, l'hétérogénéité observée est due au faible nombre de cas rapportés dans la littérature et les analyses effectuées sont autant d'esquisses pour une théorie psychanalytique à venir des problèmes de lecture. Sous cette hypothèse, la position psychanalytique actuelle est inachevée.

Selon une hypothèse alternative l'hétérogénéité des théorisations sommairement évoquées n'est que la manifestation en ce domaine particulier de divergences théoriques d'écoles entre auteurs d'obédience lacanienne comme Dolto et Mannoni et auteurs d'inspiration freudienne classique, voire de divergences théoriques entre auteurs.

Une confrontation sur cette question des difficultés d'apprentissage de la lecture des auteurs considérés permettrait sans doute de trancher entre l'hypothèse d'une théorie psychanalytique inachevée et celle de théories psychanalytiques opposées.

2.2.2 – La spécificité. — A la question de l'hétérogénéité des facteurs explicatifs on peut joindre celle de la spécificité des troubles de la lecture telle qu'elle apparaît chez les auteurs évoqués. Le fait remarquable ici est le faible degré de spécificité qui est généralement conféré à ces difficultés. Confondue avec les « difficultés scolaires » ou celles des « fonctions cognitives », l'identité propre des difficultés d'apprentissage de la lecture disparaît souvent dans ces catégories trop générales. Même si ceci est moins vrai d'auteurs comme Diatkine ou Cahn, dans l'ensemble pourtant le degré de spécificité qu'accordent les psychanalystes aux difficultés d'apprentissage de la lecture contraste fortement avec celui que leur confèrent les organicistes ou les cognitivistes. On sait que, pour d'autres psychanalystes, le fait de considérer la débilité comme un symptôme conduit à une mise en cause du concept même d'intelligence (Mannoni, 1964, 137). Le fait de considérer la « dyslexie » comme un symptôme entraîne à son tour une mise en question de la lecture qui conduit à une annulation de fait de sa réalité psychologique. On ne saurait imaginer position théorique plus radicale.

On peut se demander alors dans quelle mesure cette banalisation pour le moins de la lecture tient à nouveau à un défaut d'investissement des psychanalystes dans cet objet et dans quelle mesure il y a là une position authentiquement théorique. Le fait, au moins pour certains auteurs, de conférer aux difficultés d'apprentissage de la lecture un statut de symptôme et de nier dès lors tout l'intérêt qu'il y aurait à considérer la lecture pour elle-même, à « la prendre à la lettre », est une prise de position théorique sans ambiguïté en faveur de l'aspécificité de ces troubles. Mais le symptôme est précisément la lecture et ceci ne peut pourtant pas, du point de vue psychanalytique même, être considéré comme un effet du hasard, il doit avoir une signification. La question du « choix de symptôme » renvoie donc à la nécessité d'une spécification, si minime soit-elle, du « choix » de la lecture. On ressent à nouveau le besoin de précisions (catégories, fréquence). Le problème de l'aspécificité conféré

par la théorie psychanalytique aux difficultés d'apprentissage
de la lecture nous apparaît donc comme un second problème
dans l'état actuel d'élaboration de la position psychanalytique.

2.2.3 – L'extension. — Le problème qui se pose ensuite est
celui de l'extension qui revient à ce mode d'explication quand on
l'applique à l'ensemble des enfants éprouvant des difficultés
d'apprentissage de la lecture. En raisonnant de manière uni-
causale, le problème peut se formuler ainsi : y a-t-il, pour tous
les enfants, des difficultés de type psychanalytique à l'origine
ou celles-ci ne valent-elles que pour une fraction d'entre eux ?

Les défenseurs des deux positions théoriques que nous
avons examinées en premier adoptent généralement un point de
vue pluraliste « raisonnable ». Ils affirment d'abord que le type
de facteurs qu'ils mettent en avant ne concerne qu'une partie
de la population, et complètent volontiers cette proposition
de l'énumération d'autres facteurs de nature différente. Toutefois, en un second temps, en se consacrant totalement au type
de facteurs qui les intéresse, ils perdent de vue complètement
les autres facteurs et s'efforcent donc, en fait, de rendre compte
de la totalité des cas et non d'une simple fraction d'entre eux
par le type de facteurs privilégiés par la théorie. La pratique de
recherche contredit donc le discours épistémologique.

Critchley (1974) chez les organicistes, et Vernon (1977)
ou Guthrie et Tyler (1978) chez les cognitivistes illustrent
cette démarche. Le courant psychanalytique échappe-t-il à
cette difficulté ?

Certaines remarques de Mannoni dénotent par exemple une
acceptation des facteurs traditionnellement reconnus en milieu
médical :

> « Cas VIII : Un dyslexique rééduqué. — Simon a été examiné à l'âge
> de 10 ans, pour difficultés scolaires ; gaucher contrarié, il est handicapé
> par une forte dyslexie, et échoue scolairement malgré un QI élevé »
> (1965, 73).

De même, dans un travail se proposant de « faire apparaître
les structures sous-jacentes » de la « dyslexie », elle indique :

> « Je laisserai volontairement de côté dans cet exposé toute l'explication
> neurologique du problème, qui a été donnée d'une façon très claire par
> Francis Kocher dans son livre *La rééducation des dyslexiques.* »

La référence à cet ouvrage, particulièrement représentatif de la tradition organiciste, marque semble-t-il la reconnaissance du bien-fondé de celle-ci, que confirme le fait que la seule autre référence à des travaux antérieurs concerne l'article de Roudinesco, Trelat et Trelat (1950) dont « l'orientation neurologique » est également soulignée.

S'il y a donc bien de la part de Mannoni un souci exprimé de tenir compte des facteurs considérés comme acquis par les recherches des autres courants, force est pourtant de constater que le fait de les mettre aussitôt « volontairement de côté » pour partir à la recherche des seuls facteurs affectifs constitue, sur le plan épistémologique, une position qui ne diffère guère de celle des cognitivistes qui, après reconnaissance verbale des facteurs non-cognitifs, ne s'en préoccupent plus jamais.

Un autre type de facteurs responsables des difficultés d'apprentissage de la lecture, que Dolto (1965) et Mannoni (1965) notamment mettent clairement en évidence, provient de l'institution scolaire. Celle-ci est vigoureusement mise en cause par Dolto :

> « Notre pratique nous convie à constater journellement des effets névrosants de la vie scolaire sur des enfants qui ont eu une structure personnelle en famille saine et un Œdipe sainement vécu » (1965, 44),

tandis que Mannoni déclare :

> « Dans les cas d'inadaptation scolaire, nous trouvons une gamme variée de sujets. Tous n'ont pas besoin d'une cure psychanalytique. Beaucoup de troubles mineurs pourraient être rééduqués dans le cadre scolaire où se trouve l'enfant. Rappelons à cet effet qu'il est utile de distinguer : 1) le symptôme ayant valeur de message [...] ; 2) le symptôme sans valeur de message [...] » (1965, 177).

La difficulté sur laquelle bute alors la conception psychanalytique, comme les autres conceptions, est celle des moyens d'opérer une distinction entre les différents cas reconnus. L'affirmation de différences ne s'accompagne pas en effet de moyens opératoires propres à les identifier. En l'absence de tels moyens de discrimination, on peut craindre que, en psychanalyse comme ailleurs, les difficultés d'apprentissage dans leur ensemble ne soient examinées que sous le seul éclairage des facteurs propres à cette théorie.

L'existence d'une distinction entre des enfants relevant de

la psychanalyse et des enfants relevant de la pédagogie (amélioration de l'enseignement initial ou rééducation) prolonge certes
l'acceptation de sources non psychanalytiques des difficultés,
mais la question qui se pose alors est de savoir quelle importance accorde véritablement la psychanalyse aux autres déterminations qu'elle reconnaît.

Les déterminations scolaires nous apparaissent au bout du
compte, d'importance mineure pour les psychanalystes puisque,
selon Mannoni, les facteurs psychanalytiques sont « presque
toujours » présents :

> « S'il existe des difficultés scolaires d'origine purement pédagogique, il
> n'en reste pas moins que ce symptôme recouvre presque toujours autre
> chose » (1965, 56).

La même détermination dernière par des facteurs psychanalytiques apparaît également pour les facteurs organiques ou
instrumentaux. Cahn et Mouton (1972) écrivent à propos des
mauvais lecteurs :

> « Le symptôme exprime, à partir d'une fragilité instrumentale parti-
> culière ou de troubles de l'équipement de base, une réponse à leurs
> conflits, sur le registre dyslexique ou par des difficultés d'acquisition ou
> d'organisation du langage parlé ou écrit »,

tandis que Chiland, analysant le cas de Constance, déclare :

> « Il illustre notre thèse que la dyslexie ne s'instaure même à partir de
> « troubles instrumentaux » que si l'évolution affective, les relations
> objectales du sujet sont perturbées » (1971, 244).

Ainsi donc pour Cahn et Mouton comme pour Chiland, les
éléments instrumentaux constituent un fondement possible des
difficultés d'apprentissage de la lecture, mais la détermination
dernière revient aux éléments affectifs que met en évidence la
psychanalyse. Il apparaît alors que, tout en affirmant la présence de facteurs scolaires et en acceptant les facteurs apportés
par les courants organiciste et instrumental, les psychanalystes
privilégient les facteurs affectifs dans la mesure où ils considèrent que ces facteurs sont « presque toujours » sous-jacents aux
facteurs scolaires ou indispensables pour que les facteurs instrumentaux deviennent efficaces. La position psychanalytique
demeure donc, fondamentalement, une position affectiviste.

2.2.4 – Les troubles affectifs, troubles primaires. — Le quatrième problème que pose l'approche psychanalytique concerne son énonciation du caractère primaire des problèmes affectifs. Ce sont les conflits familiaux de l'enfant qui sont posés à l'origine des difficultés d'apprentissage de la lecture. Certes les psychanalystes n'excluent pas l'existence de problèmes affectifs secondaires aux difficultés scolaires de l'enfant. Dolto écrit par exemple :

> « Qu'il me soit permis de souhaiter que les psychanalystes praticiens n'aient à soigner que des cas relevant en effet des désordres profonds de la vie symbolique qui, eux, datent d'avant 4 ans et non de ces difficultés réactionnelles saines à la vie scolaire actuellement effectivement pathogènes » (1965, 37-38),

indiquant par là sans nulle ambiguïté que tout problème affectif chez un enfant ayant des difficultés scolaires n'est pas issu de la zone conflictuelle des relations parentales.

De même Diatkine (1963), à côté des perturbations primaires de la personnalité rapportées plus haut, distingue-t-il des troubles affectifs apparaissant dans les cas de rechutes provoquées par des événements de la vie du sujet et, également, des troubles de type caractériel et relationnel chez des enfants ayant fait l'objet d'une rééducation. Dans ces deux derniers types de cas le caractère secondaire des troubles affectifs est affirmé. Il n'en demeure pas moins que, ces restrictions effectuées, la thèse psychanalytique fondamentale consiste à placer les problèmes affectifs avant les difficultés de lecture ; alors que la proposition inverse peut aussi bien être soutenue.

C'est ainsi que, lorsque, par exemple, Mannoni écrit que

> « [...] le dyslexique est en conflit ouvert avec les siens, on n'admet pas son infortune [...] »

n'est-on pas précisément invité à penser que le conflit avec les parents s'instaure *après* que les difficultés en lecture sont apparues, comme conséquence de ce « refus » par les parents de l'échec de l'enfant, plutôt que de considérer comme elle le soutient par ailleurs que le conflit est antérieur aux difficultés en lecture ?

On peut, à ce propos, citer le témoignage d'Ajuriaguerra :

« Pour notre part, nous avons remarqué que les désordres affectifs sont extrêmement fréquents, sinon constants chez les dyslexiques ; souvent secondaires, ils peuvent cependant être parfois primaires [...] » (1977, 361).

Il y a, nous semble-t-il, quelque imprudence à affirmer le caractère primaire des troubles affectifs dont on observe l'association aux difficultés d'apprentissage de la lecture. La relation inverse paraissant pour le moins également vraisemblable, la thèse psychanalytique de base est difficile à accepter. Ici encore l'absence de toute pondération entre les cas de troubles affectifs primaires et secondaires ne peut que faire craindre que, du fait du caractère primaire de son principe explicatif, la psychanalyse ne soit amenée à majorer à tort le poids de ce mode de détermination pour l'ensemble de la population.

2.2.5 – La démarche de recherche. — Le dernier type de remarques concernant la position psychanalytique relative aux difficultés d'apprentissage de la lecture est plus global. La démarche de recherche psychanalytique en général possède en effet un certain nombre de caractéristiques méthodologiques qui empêchent de considérer comme pleinement valides les propositions théoriques qui en sont issues. Il ne saurait être question de nous livrer ici à une critique d'ensemble des bases méthodologiques de la recherche psychanalytique. Nous nous en tiendrons donc à quelques aspects particulièrement problématiques pour le domaine considéré.

Les recherches que nous avons analysées portent toutes sur des sujets fortement perturbés et amenés pour cette raison à consulter. C'est donc au moyen d'une méthode pathologique que l'on en est venu à formuler des propositions sur l'origine des difficultés d'apprentissage de la lecture. Nous intéressant à la population rencontrant des difficultés dans sa totalité et non aux seuls cas les plus graves, nous sommes donc en droit de nous interroger sur la possibilité d'utiliser le système conceptuel formulé par les psychanalysants pour les cas de gravité moindre, qui sont par ailleurs les plus nombreux. Il est à craindre que l'explication psychanalytique ne vaille que pour un nombre infime de cas et ne soit donc nullement en mesure de fournir une réponse qui vaille pour l'ensemble des cas de difficultés d'apprentissage de la lecture.

La recherche psychanalytique suit par ailleurs une méthode clinique et s'effectue donc par l'étude approfondie de cas individuels. De cette prégnance des cas individuels, divers indices témoignent dans la littérature consultée. La dernière partie de l'ouvrage de Chiland (1971), soit un quart environ du total, est constituée de « documents cliniques » consistant en la présentation un à un des sujets de son échantillon. Maud Mannoni présente sa conception de la « dyslexie » à travers le compte rendu de la psychanalyse du seul cas d'Isabelle (1964). Dans d'autres ouvrages du même auteur — *L'enfant, sa « maladie » et les autres* (1967), et *Le psychiatre, son « fou » et la psychanalyse* (1970) —, l'importance accordée aux cas individuels s'exprime par l'apparition en fin d'ouvrages d'un « index des cas cités » qui prend place à côté des classiques « index analytique » et « index des noms propres » de la littérature scientifique.

Sur le matériau ainsi constitué deux types de problèmes apparaissent selon que les conclusions sont issues de l'analyse d'un cas ou de plusieurs. S'il s'agit d'un cas unique, tel celui d'Isabelle traité par Mannoni, la question de sa représentativité se pose : dans quelle mesure est-il possible de considérer que ce qui a été établi pour Isabelle vaut pour tout autre enfant en difficulté dans l'apprentissage de la lecture. Cette préoccupation n'est sans doute pas étrangère à l'auteur elle-même quand elle écrit :

> « Tous les enfants dyslexiques n'ont heureusement pas besoin de psychothérapie ; mais il serait certainement utile d'étudier l'histoire de tous, afin d'arriver un jour à mieux dégager le sens même de la dyslexie » (1964, 182).

S'il s'agit maintenant de conclusions issues de l'analyse d'une série de cas, comme le travail de Diatkine (1963) nous en offre un exemple, le passage de l'analyse des cas un à un aux propositions générales d'ordre théorique formulées en fin d'article fait problème : les règles d'inférence mises en œuvre par l'auteur ne s'imposent pas à tous les lecteurs. Les règles de décision reposant sur un traitement statistique de données dans un travail de type expérimental nous semblent beaucoup plus sûres.

Ces modalités de la recherche clinique font donc problème sur un double plan : celui de l'objectivité dans le traitement des données et celui de la généralité des conclusions qui en sont issues. La théorie psychanalytique dans son ensemble reposant sur une telle méthodologie, il s'ensuit que l'appareil conceptuel même utilisé par les psychanalystes qui se sont intéressés aux difficultés d'apprentissage de la lecture s'en trouve pour les mêmes raisons mis en cause. Cette fragilité méthodologique des concepts psychanalytiques utilisés dans l'étude des difficultés d'apprentissage de la lecture, et cette fragilité méthodologique de l'étude elle-même de ces difficultés, rend doublement suspectes les conclusions produites.

Il n'en découle pas pour autant que celles-ci doivent être rejetées, mais simplement qu'elles ne peuvent être considérées à ce jour comme suffisamment fondées. La méthode clinique approfondit plus qu'aucune autre l'étude des cas examinés mais ce qu'elle gagne en compréhension elle le perd en extension. Il est possible que par les voies qui lui sont propres la recherche psychanalytique soit parvenue à des propositions valides, mais cette validité demeure à démontrer au moyen d'études systématiques si l'on veut bien admettre comme nous que la méthode clinique ne peut à elle seule établir la validité d'une proposition scientifique et que ses conclusions, pour être valides, doivent faire l'objet d'études systématiques ultérieures.

Il semble toutefois que cette approche objective des variables affectives n'aille pas de soi chez les chercheurs. Elle se heurte en effet à de solides traditions intellectuelles consistant à lier indisolublement contenu et méthode, variables affectives et méthode clinique, variables cognitives et méthode expérimentale alors que, en droit, chaque contenu est susceptible d'être traité par l'une et l'autre méthode, et chaque méthode capable de traiter chaque contenu.

On peut en prendre pour exemple, dans la littérature examinée ici, le fait que chez un même auteur, et dans un même ouvrage, Chiland (1971), les données cognitives sont traitées de manière objective (épreuves définies, quantification, tableaux, profils), alors que les données d'intérêt socioaffectif sont recueillies essentiellement au moyen d'entretiens libres et traitées de manière subjective. Peut-être le poids de cette fâcheuse tradition apparaît-il plus clairement encore dans le fait que l'auteur ayant utilisé un test projectif, le CAT, qui permettrait une relative objectivation des problèmes affectifs, ne l'utilise pas à cette fin mais dans le but de constituer un corpus linguistique (1971, 41-43).

Il apparaît pourtant techniquement possible de soumettre à des investigations systématiques certaines propositions psychanalytiques à commencer par la proposition principale ici, celle selon laquelle des conflits familiaux sont à l'origine des difficultés d'apprentissage de la lecture. Les travaux psychanalytiques en ce domaine et dans leur état actuel apparaissent donc comme de très intéressants témoignages provenant de sources originales d'information qui, considérées comme des hypothèses de recherche et non comme des conclusions, pourraient être au point de départ d'études objectives destinées à en mettre à l'épreuve la validité.

On peut voir dans le travail réalisé par Gauthier et Richer (1977), suivant le compte rendu qu'en fait J. Simon (1979), un exemple précis du type d'étude préconisée.

Piaget, interrogé sur sa réaction à la psychanalyse, exprime une position de principe parfaitement satisfaisante à nos yeux :

« [...] je crois que la psychanalyse n'aura d'avenir que lorsqu'elle deviendra expérimentale... Tant qu'elle ne sera pas devenue expérimentale, tant qu'elle ne s'intéressera qu'aux cas cliniques, la psychanalyse ne pourra pleinement me convaincre » (1977, 57-58).

La position psychanalytique vis-à-vis de l'origine des difficultés d'apprentissage de la lecture constitue une position affectiviste bien qu'elle déclare que certains cas puissent relever de facteurs organiques, instrumentaux, ou scolaires, ou que de tels facteurs entrent éventuellement dans les cas dont elle s'occupe. Elle ne dispose pas en effet des moyens d'opérer une différenciation entre les cas qui ne relèveraient pas d'une approche psychanalytique et les cas qui en relèveraient. Par ailleurs, la psychanalyse, en tant que telle, ne tient pas compte en fait des facteurs non affectifs et se consacre exclusivement aux facteurs affectifs. Sur un autre plan, la théorisation effectuée fait problème tant par suite de l'hétérogénéité des facteurs proposés que par suite de la dévitalisation dont fait l'objet la lecture. L'usage exclusif enfin des méthodes pathologique et clinique fait qu'on ne peut considérer, sous

l'angle de l'objectivité et de la généralité, les thèses psychanalytiques comme susceptibles de s'appliquer à l'ensemble de la
population rencontrant des difficultés dans l'apprentissage
de la lecture. Il n'est donc pas possible, en l'état actuel de la
recherche, d'admettre que toutes les difficultés d'apprentissage
de la lecture puissent s'expliquer par les facteurs affectifs mis
en avant par la psychanalyse.

3 | LA CAUSALITÉ AFFECTIVE :
  DISCUSSION

Si les données psychanalytiques montrent éloquemment
l'existence de troubles affectifs chez les enfants ayant des
difficultés dans l'apprentissage de la lecture, elles ne sont pas
en mesure d'apporter des faits convaincants à la thèse selon
laquelle ces troubles affectifs sont à l'origine des difficultés
rencontrées en lecture. La thèse inverse, qui voit dans ces
troubles affectifs les conséquences des difficultés d'apprentissage
de la lecture et non pas leurs causes, retrouve de ce fait un regain
d'intérêt.

On peut légitimement considérer en effet que les travaux
recherchant une origine affective aux difficultés d'apprentissage
de la lecture ont échoué car la réalité ne correspond guère à
l'hypothèse affectiviste et que mieux vaut dès lors changer
d'hypothèse explicative que de tenter sans cesse de vérifier
une hypothèse que des décennies de recherche ne sont pas arrivées à vérifier.

La position alternative consiste alors à considérer que,
dans la majorité des cas, les problèmes affectifs que l'on observe
chez les enfants ayant des difficultés dans l'apprentissage
de la lecture, sont le contrecoup de ces difficultés. Ceci n'interdit
pas de considérer qu'il existe des cas répondant à un déterminisme affectif, mais revient à dire que ces cas sont peu nombreux. Leur existence explique en partie sans doute le maintien
de l'hypothèse affectiviste, mais leur petit nombre ne permet
pas aux recherches statistiques d'être significatives.

Le fait de considérer les troubles affectifs comme résultant
des difficultés d'apprentissage de la lecture a en particulier

pour avantage d'orienter la recherche vers le rôle de l'environnement social du sujet dans la genèse de ses troubles affectifs. Plusieurs recherches ont montré l'importance de celui-ci sur l'estime de soi. On sait, de ce point de vue, que les résultats obtenus par l'enfant dans son apprentissage de la lecture ne concernent pas que lui. L'accueil que leur réserve son entourage familial, accueil dont Downing (1973) a montré l'importance des variations d'un pays à l'autre, n'est sans doute pas sans effet sur la personnalité de l'enfant.

Ces réactions des parents aux difficultés rencontrées par leurs enfants dans l'apprentissage de la lecture ont de longtemps été remarquées. Preston (1939) en fournit une description et Brown (1977) en montre l'actualité. Roudinesco *et al.* (1958) rapportent plusieurs cas pour lesquels tous les autres facteurs ayant été éliminés

> « la filiation entre les fautes pédagogiques commises dans le milieu familial et la dyslexie paraissait évidente » (1958, 27),

et mettent en relation les formes que prennent les troubles affectifs de l'enfant avec l'attitude adoptée par les parents :

> « Les troubles qui se développent alors chez l'enfant varient suivant les modalités de la réaction parentale. S'il est considéré comme arriéré et incapable, il aura tendance à être inhibé, émotif, à se sentir inférieur. Si on l'accuse injustement de paresse et de mauvaise volonté, il deviendra plutôt résistant et agressif, turbulent et indiscipliné » (*ibid.*, 26).

Le renversement de l'hypothèse affectiviste peut permettre à des observations cliniques de ce type de devenir des hypothèses pour des recherches objectives.

A côté des réactions des parents aux difficultés d'apprentissage de la lecture des enfants on peut penser également à celles de l'enseignant, peu étudiées, et à celles des autres enfants. Concernant ces dernières, une recherche récente de McMichael (1980) portant sur 198 enfants de 8 écoles écossaises, dont les pères ont un métier manuel, étudie l'effet des difficultés d'apprentissage de la lecture sur la popularité et le rejet de l'enfant par ses pairs. Elle montre que les enfants rejetés proviennent des milieux sociaux les plus défavorisés et sont intellectuellement plus limités. Quand les mauvais lecteurs sont rejetés c'est par suite de leur comportement antisocial plutôt que de leurs problèmes de lecture. Les mauvais lecteurs qui demeurent tranquilles et se conforment aux exigences scolaires ne sont pas plus rejetés que les bons lecteurs ayant un comportement analogue, quoiqu'ils soient moins populaires. L'intérêt de voir les troubles affectifs comme une conséquence des difficultés d'apprentissage de la lecture est de donner naissance à ce type de recherches et de permettre dès lors un enrichissement du réseau causal.

On peut aussi, considérant que l'hypothèse affectiviste conduit à une impasse, et que la position inverse a le défaut d'exclure certains cas, adopter la position favorable à une causalité réciproque des difficultés d'apprentissage de la lecture et des troubles affectifs selon laquelle chaque terme est susceptible d'être tour à tour cause et conséquence. Cette position, la plus complète dans son principe, peut permettre d'éviter les risques de simplification inhérents aux deux positions antérieures. Son ambition déclarée de rendre compte de la totalité du domaine de réalité étudiée peut avoir pour effet bénéfique de susciter la mise en place de représentations causales plus complexes que celles qui animent les positions antérieures. Elle demeure pourtant, tout autant que les autres, une position de principe qui demande à être soutenue par des faits que seule une méthode génétique peut permettre d'établir.

Il n'est pas interdit enfin de penser que les troubles affectifs des enfants ne soient ni causes ni conséquences, ni l'un et l'autre, mais soient simplement concomitants à cet apprentissage.

La position affectiviste n'est donc qu'une des diverses façons de rendre compte de la relation observée entre difficultés d'apprentissage de la lecture et troubles affectifs. C'est celle dont, suivant notre problématique, nous avons été amené à rendre compte. Mais cette orientation de recherche n'est nullement exclusive. A côté des travaux inspirés par une position affectiviste il existe des travaux pour lesquels les troubles affectifs ne sont pas nécessairement premiers. Ce trait différencie le domaine de recherche affectif des domaines organique et cognitif. Alors que dans ces derniers en effet les facteurs organiques ou cognitifs apparaissent pratiquement toujours comme responsables des difficultés d'apprentissage de la lecture, les facteurs affectifs à l'étude sont tantôt considérés comme causes, tantôt comme conséquences et, plus rarement, comme concomitants. Le fait que la recherche portant sur les facteurs organiques ou cognitifs soit dominée par les premières hypothèses de la dyslexie alors qu'aucune hypothèque théorique comparable ne pèse sur la recherche affective explique sans doute cette différence.

L'autre grand problème qui nous paraît caractéristique de ce domaine est le clivage qui existe entre deux types de production. Les publications reposant sur des cas cliniques, comme celles de Bruner (1961), Mannoni (1964, 1965), Roudinesco *et al.* (1958), Trelat (1965) par exemple, contrastent fortement avec celles qui rapportent des études objectives. La diversité des facteurs évoqués par les premières s'oppose à la limitation des secondes à un très petit nombre de facteurs.

La production dans les études objectives de résultats que les études cliniques avaient suggérées de longue date fait regretter que les études objectives ne partent pas plus souvent d'hypothèses suggérées par la clinique, ou que la clinique ne tente pas plus souvent de procéder à une vérification objective de ses conclusions. On peut en prendre pour exemples une étude objective de Kohn et Cohen (1975) et une étude clinique de Trélat (1965).

Le travail de Kohn et Cohen porte sur 323 enfants newyorkais suivis du jardin d'enfants à la première année. L'évaluation faite au jardin d'enfants de la dimension « intérêt-participation / apathie-retrait » au moyen d'échelles standardisées remplies par les maîtres pour chaque enfant se révèle prédictive des résultats obtenus en première année en lecture, tandis que la dimension « coopération-obéissance / colère-refus », qui indique le degré de soumission aux règles et habitudes de la vie scolaire, s'avère sans relation avec les résultats en lecture. Au premier facteur fait écho l'opinion de Trélat :

> « Il faut en effet accorder aussi une certaine place aux anomalies de comportement contemporaines ou antérieures à la dyslexie et envisager leur retentissement sur son évolution. Il s'agit généralement d'inertie globale devant l'effort, avec lenteur et passivité habituelles, connues depuis la petite enfance : nombre d'enfants dyslexiques ont des difficultés à assumer seuls leurs tâches scolaires, dépendants qu'ils sont encore fréquemment de leur entourage, de leur mère tout spécialement » (1965, 358).

4 | CONSÉQUENCES PROFESSIONNELLES

Les pédagogues adoptent spontanément une position affectiviste quand ils considèrent que les troubles affectifs qu'ils observent chez les enfants ayant de la peine à apprendre à lire trouvent leur origine dans la vie familiale de ceux-ci plutôt que dans les contrecoups de leurs problèmes scolaires. La psychanalyse ne vient qu'apporter une caution théorique à une attitude que l'on trouve aussi bien dans le monde anglosaxon (Athey, 1976, 362) qu'en France. On peut craindre qu'un éventuel développement de son discours, ou de celui de toute autre théorie pareillement orientée, n'ait pour effet un accroissement des attitudes de déresponsabilisation et de démission des maîtres, ceux-ci se considérant non seulement comme totalement étrangers aux problèmes affectifs de l'enfant, mais de plus comme rigoureusement incompétents pour y faire face.

On sait par ailleurs que les éventuels bénéfices résultant d'une sensibilisation des maîtres par la psychanalyse aux problèmes affectifs des enfants sont aléatoires. Cette sensibilisation relève en effet d'une attitude pédagogique qui apparaît à certains psychanalystes comme une déviation du rôle de la psychanalyse dans la société et est donc rejetée (Mannoni, 1964, Appendice 1 ; 1967, Avant-propos), alors que d'autres, au contraire, produisent des ouvrages pédagogiques (Dolto, 1977, 1978, 1979).

On peut remarquer au passage, en ce qui concerne les parents, que ce type de position a pour effet une culpabilisation que certains psychanalystes reconnaissent (Mannoni, 1970, 13) mais qui, pour la raison indiquée ci-dessus, ne débouche pas nécessairement sur un travail d'éducation dirigé vers les parents.

Si l'on considère maintenant ce qui résulte de l'adoption d'une position affectiviste vis-à-vis d'un enfant ayant des difficultés en lecture, on s'aperçoit que cette position se manifeste dès l'examen psychologique de l'enfant. L'importance accordée aux tests projectifs, au détriment parfois de la recherche de tout autre facteur, va de pair avec le fait que l'entretien avec les seuls parents sera presque toujours considéré comme

suffisant. L'entretien avec l'institutrice ou toute autre information concernant la vie de l'enfant à l'école ne sont pas recherchés
si l'on pense que la seule dynamique familiale détermine les
difficultés de l'enfant.

Plus la conviction affectiviste est marquée, plus l'intervention ultérieure auprès de l'enfant en difficulté prend la
forme d'une psychothérapie. Il est clair par exemple que,
pour Mannoni, exception faite de cas réservés à la pédagogie,
la psychothérapie est la réponse adéquate (1946, Appendice II).
Pour la psychanalyste américaine Blanchard (1964, 164) un peu
moins de 20 % de mauvais lecteurs relèvent d'une psychothérapie antérieurement à toute rééducation, tandis que des
cliniciens comme Trelat (1965) adoptent une position plus
modérée encore.

Aux psychothérapies analytiques il faut joindre d'ailleurs
les psychothérapies moins affectivistes et plus ponctuelles qui,
largement utilisées dans le monde anglo-saxon, tentent, par
exemple, de modifier le style cognitif ou d'améliorer le concept
de soi. D'autres thérapies, plus empiriques, s'adressent au
comportement. Carter et Russell (1980) par exemple étudient
les effets d'un entraînement à la relaxation musculaire par bio-
feedback électromyographique sur 4 enfants âgés de 8 à 13 ans
qui ont des problèmes scolaires importants. Au bout de dix
semaines, à raison d'une séance d'une heure par semaine, les
enfants ont appris à contrôler volontairement la tension de leur
avant-bras. Les mères déclarent que leurs enfants manifestent
un plus grand contrôle d'eux-mêmes, sont moins impulsifs et
distraits et plus consciencieux à l'école.

La position la moins affectiviste, mais qui n'est pas la
seule alternative aux psychothérapies analytiques comme on
vient de le voir, consiste en une rééducation de la lecture.
La seule rééducation, en tant que reprise dans un cadre
individuel d'un enseignement ayant échoué dans un cadre col-
lectif, est une négation de fait de la position affectiviste.

Si la position affectiviste radicale consiste donc à préconiser une psychothérapie, une position plus modérée assortit
celle-ci d'une rééducation ultérieure ou simultanée, tandis
qu'une position non affectiviste oriente vers la seule rééducation.
La recommandation de telle ou telle thérapie est également

indicatrice de l'importance conférée aux troubles affectifs
de l'enfant.

On peut remarquer au passage que l'intervention, voire
l'existence de professionnels tels que les orthophonistes, les
éducateurs ou les rééducateurs, est gravement mise en cause
par la position affectiviste. Leur désarroi fait alors pendant à
celui des parents.

Dans un jalonnement institutionnel de l'impact des positions
théoriques sur la société française, il est intéressant de faire
mention de la circulaire du 9 février 1970 qui crée des groupes
d'aide psycho-pédagogiques (GAPP) dans les écoles. Sept ans
donc après l'apparition des CMPP, l'institution scolaire se dote
des moyens de reprendre, au moins en partie, la responsabilité
des problèmes qui apparaissent en son sein. Une circulaire
du 16 mars 1972 précise le rôle de « consultations secondaires »
des CMPP par rapport aux GAPP et dispensaires d'hygiène mentale.

Ces créations de structures de prise en charge, tantôt
dans le cadre de la santé et tantôt dans celui de l'éducation,
peuvent être considérées comme l'expression institutionnelle
des conflits entre les diverses positions théoriques et les divers
intérêts de ce champ, ce dont témoigne la comparaison d'écrits
plaidant la cause des CMPP (Bley, 1978) ou celle des GAPP
(Inizan, 1975 *a*, *b*).

Le développement des GAPP en amont des CMPP a pour effet
actuel que les mauvais lecteurs rencontrent en premier le
psychologue scolaire et les rééducateurs en psychopédagogie
et/ou en psychomotricité, ce qui institue un état de fait dans
lequel les facteurs affectifs n'apparaissent pas, pour la plupart
des enfants, comme les facteurs prioritaires.

CHAPITRE IV

Le milieu sociofamilial :
le handicap socioculturel

Les positions organiciste et instrumentaliste considèrent l'enfant isolément, tandis que la position affectiviste prend en compte son entourage socioaffectif. Avec la position du handicap socioculturel (dit aussi « handicap social », « handicap culturel », voire « handicap linguistique »), c'est le milieu socio-familial de l'enfant qui occupe maintenant le devant de la scène.

Sur un mode général les partisans de cette conception ont pour principe commun de considérer les *différences* dues à l'origine sociale des enfants en termes d'*infériorité* ou, dans un langage plus politique, en termes d'*inégalités*. Le fait de traiter les différences comme des infériorités a par ailleurs pour effet, comme on le verra ultérieurement de manière détaillée, d'amener à considérer l'action pédagogique en termes de *compensation* des infériorités ou inégalités posées au départ.

1 | LE CONTEXTE

L'idée d'expliquer par le milieu de vie extra-scolaire de l'enfant l'origine de ses démêlés avec la lecture n'est pas neuve. On la voit apparaître chez les Anglo-Saxons dès 1937 dans une revue de question de Gray, à un moment où la théorie dominante est de type organiciste. Il semblerait que ce soit au

cours des années soixante que cette conception se soit structurée
(Bloom, David et Hess, 1965 ; Deutsch, 1963 ; Deutsch et
Deutsch, 1968 ; Deutsch, Katz et Jensen, 1968 ; Hunt, 1968 ;
Passow, Goldberg et Tannenbaum, 1967 ; Reissman, 1962) et
qu'elle ait été mise en cause dans la décennie suivante (Baratz
et Baratz, 1970 ; CRESAS, 1978).

Si les auteurs cités plus haut expliquent exclusivement
ou préférentiellement les difficultés d'apprentissage de la
lecture par un handicap socioculturel, ceux qui, sans en faire
un facteur unique ou dominant, lui réservent néanmoins
une place importante dans leur système explicatif sont plus
nombreux encore. L'examen de quelques ouvrages de synthèse
faisant autorité en ce domaine chez les Anglo-Saxons montre
qu'une place importante est faite à cette conception au sein
des systèmes explicatifs de nombreux auteurs (voir par exemple
Bannatyne, 1961 ; Gibson et Levin, 1975 ; Malmquist, 1958,
1981 ; Vernon, 1971).

Dans le contexte français actuel cette conception, qui
renvoie à la famille des difficultés d'apprentissage de la lecture
de l'enfant, est très répandue aujourd'hui chez les instituteurs.
Il est banal d'entendre ceux-ci se plaindre des effets scolaires
(fatigue, passivité, désintérêt...), des modalités de vie familiale
attribuées aux milieux modestes (abus de la télévision, coucher
tardif...) et leur imputer la responsabilité des difficultés d'apprentissage de la lecture des enfants.

C'est ce qui apparaît dans les réponses recueillies par
Berger (1979) en 1973 — 74 auprès de 879 enseignants du
primaire de Paris et de la banlieue parisienne à la question
« A quoi attribuez-vous l'échec de vos élèves ? » :

> « Comme d'habitude, l'éventail des réponses est largement ouvert.
> Très peu nombreux sont les enseignants attribuant les défaillances de
> quelques-uns de leurs élèves à des carences individuelles comme une
> trop faible maturité, une trop grande lenteur, un désintéressement
> manifeste, une absence de curiosité, une intelligence réduite, etc.
> « Bien plus fréquentes sont les opinions qui imputent les difficultés
> scolaires majeures des élèves aux multiples facteurs sociofamiliaux »
> (Berger, 1979, 120).

C'est ce qui apparaît également dans le travail de Pasquier
qui, après avoir demandé à 14 instituteurs et institutrices
de citer les cinq principales causes de l'échec scolaire de la

plus importante à la moins décisive et classé celles-ci en causes relatives au milieu, à l'individu, à l'école, conclut :

« Les causes « milieu » semblent les plus décisives (moyenne des rangs 1,9), suivies des causes « individus » (moyenne 3,2), les causes « école » arrivant dernières ($m = 3,7$) » (Pasquier, 1981, 38).

Dans la mesure où la conception du handicap socioculturel apparaît donc comme la conception dominante aujourd'hui, sa présentation, et surtout l'étude des faits scientifiquement établis qu'offre la littérature pour la soutenir, ainsi que la discussion de ceux-ci, présentent un intérêt tout particulier.

2 | PRÉSENTATION DE LA CONCEPTION DU HANDICAP SOCIOCULTUREL

On trouve dans la conclusion d'une des tables rondes du colloque consacré par le CRESAS à l'examen de cette notion (CRESAS, 1978) la présentation suivante de celle-ci par Monique Vial et Mira Stambak :

La thèse est la suivante : les enfants des classes populaires échouent parce qu'ils sont « handicapés » dans leur développement psychologique ; il y a, en eux, des « limitations », des « obstacles », des « manques » qui les gênent pour apprendre, et restreignent leurs possibilités d'accès au savoir. Les manques sont surtout situés sur le plan intellectuel (retards intellectuels). Ils sont la conséquence de conditions d'existence incluant non seulement des difficultés et des privations matérielles, mais aussi l'insuffisance éducative et culturelle des familles (sous-stimulation et privation culturelle) » (CRESAS, 1978, 91).

A ces manques plutôt cognitifs, d'autres auteurs en ajoutent d'autres situés sur les plans affectif et motivationnel (Seitz, 1977 ; Vernon, 1971).

Appliquée au problème des difficultés d'apprentissage de la lecture, la position du handicap socioculturel est peu spécifique. On rencontre ici la même difficulté qu'avec la psychanalyse, à savoir une thèse extrêmement populaire dans certains secteurs professionnels, clinique dans un cas, pédagogique dans l'autre, mais dont les écrits qui en exposent les principes de manière spécifique sont extrêmement rares.

Il est difficile de trouver dans la communauté francophone

des chercheurs qui présentent une théorie explicite du handicap socioculturel, tant celle-ci paraît aller de soi.

Le plus souvent la conception du handicap socioculturel est évoquée « en passant », sur le ton de l'évidence. L'attribution de la responsabilité des difficultés des enfants aux insuffisances de leur milieu familial n'est pas considérée comme discutable et les formulations adoptées expriment cette conviction qu'a l'auteur d'être de connivence avec le lecteur, que cet auteur soit psychologue d'inspiration psychanalytique (Chiland, 1971, 210), piagétienne (Ferreiro, 1977, 112) ou qu'il soit pédagogue (Charmeux, 1975, 29 ; Plan de Rénovation, 1973, 87).

Mais c'est sans doute chez Lobrot (1972 *a*, *b*) que l'on trouve de la manière la plus affirmée l'idée que le milieu social constitue l'origine de toute la chaîne causale qui conduit aux difficultés d'apprentissage de la lecture.

Seul Lobrot semble avoir élaboré une position théorique explicite de la relation entre milieu social et difficultés d'apprentissage de la lecture qui aille au-delà de l'affirmation de principe ou de l'évocation ponctuelle d'un mécanisme explicatif hypothétique et, bien qu'il n'emploie pas l'expression « handicap socioculturel », sa présentation du problème est un exemple très représentatif des modes d'approche caractéristiques de ce courant théorique.

> « D'une manière générale, la dyslexie se manifeste d'autant plus qu'on a affaire avec des milieux socioculturels plus bas [...]. Il ne s'agit probablement pas d'une influence directe du milieu socio-économique lui-même, mais d'une influence indirecte s'exerçant par la médiation des attitudes pédagogiques et affectives du milieu. Les bas milieux ont des attitudes défavorables à l'égard de l'enfant » (Lobrot, 1972 *a*, 127).

Suivant cette analyse, exposée ailleurs de manière plus complète (Lobrot, 1972 *b*, chap. 3 et 4), les conditions de vie et les idées éducatives des milieux défavorisés se traduisent par des attitudes répressives à l'égard de l'enfant et, par suite, au développement d'une personnalité dite « sur-divergente », c'est-à-dire :

> « que ces sujets possèdent une aversion marquée pour les activités dites « convergentes » que nous définirons comme des activités à la fois motrices et répétitives » (Lobrot, 1972 *b*, 142).

Dans la mesure où, selon Lobrot, l'enseignement de la lecture, tel qu'il est conduit ordinairement, oblige l'enfant à effectuer un travail de répétition des sons pour acquérir la combinatoire, le déchiffrage, et que ceci est une tâche typiquement convergente à laquelle il répugne (Lobrot, 1972 *b*, 115), l'enfant se trouve placé dans de graves conflits psychologiques dont résultent ses difficultés d'apprentissage.

La conception du handicap socioculturel, sous sa forme habituelle peu structurée, ou sous la forme explicite qu'elle revêt chez un auteur comme Lobrot, demande maintenant à être confrontée aux faits disponibles dans la littérature.

Le premier temps de cette confrontation consiste à s'assurer de l'existence du fait premier que présuppose cette conception, à savoir la présence d'une corrélation entre le milieu social et les difficultés d'apprentissage de la lecture.

3 | MILIEU SOCIAL ET DIFFICULTÉS D'APPRENTISSAGE DE LA LECTURE

Existe-t-il une relation entre le milieu sociofamilial de l'enfant et ses résultats dans l'apprentissage de la lecture ? Si l'on examine les données antérieures à l'enseignement de la lecture, la réponse ne fait guère de doute. Les enfants de milieux sociaux favorisés réussissent mieux que ceux qui proviennent de milieux défavorisés dans des épreuves de pré-lecture (Downing, Ollila et Olivier, 1977 ; Hanson et Robinson, 1967 ; Inizan, 1976 ; Schroots, Bakker, Van Alphen, De Veen et Groenendaal, 1975) ou dans des apprentissages de laboratoire (Dollinger et Walker, 1978 ; Rohwer, 1971). En situation scolaire leur comportement apparaît également mieux adapté (B. Zazzo, 1978, 70-71).

Si l'on considère maintenant les résultats en lecture de populations scolarisées, sur les 30 recherches que nous avons examinées, 2 seulement ne concluent pas à l'existence d'une relation entre le milieu social et le niveau de lecture des enfants.

Les résultats sont toutefois plus nuancés si l'on examine les recherches portant sur des populations sélectionnées : sur les 12 recherches dont nous avons connaissance, 7 trouvent que les mauvais lecteurs proviennent d'un milieu social plus modeste que celui des enfants de l'échantillon témoin de lecteurs ordinaires. Divers artefacts méthodologiques discutés par ailleurs (Fijalkow, 1983) peuvent expliquer ces non-différences : appariements par le QI (lui-même en corrélation avec le milieu social) et origine sociale plus favorisée des consultants.

Considérant la relation entre milieu social et difficultés d'apprentissage en lecture comme suffisamment établie, la question qui se pose maintenant est de voir si l'hypothèse d'un handicap socioculturel est capable d'en rendre compte.

4 | LES MÉCANISMES

4.1 – Mécanismes invoqués, mécanismes vérifiés

Une intervention de Leroy-Boussion (1972, 350-353) au symposium « Milieu et développement » apporte un exemple tout à fait caractéristique de la démarche intellectuelle apparente dans de multiples recherches.

L'auteur distingue deux populations d'enfants, favorisés et défavorisés, et au cours d'études longitudinales les soumet à plusieurs reprises à des épreuves de « reversal », « fusion syllabique » et « analyse syllabique ». Elle constate des décalages entre les deux populations, plus ou moins durables suivant les épreuves. Si l'on se limite à l'épreuve dite du « reversal », on lit cette conclusion de l'auteur :

> « Le manque de jouets éducatifs (objets orientables à manipuler dans l'espace) au cours de la petite enfance joue certainement un rôle important dans cette infériorité chez les enfants socialement défavorisés. Mais les observations que j'ai pu faire sur mes sujets au cours de la passation des tests m'incitent à penser qu'il faut aussi, et peut-être surtout, attribuer ce retard perceptif à la pauvreté relative du langage en milieu « défavorisé », à un manque de connaissance, chez l'enfant, du vocabulaire spatial [...] » (Leroy-Boussion, 1972, 351-352).

Cette conclusion consiste, partant du constat objectif d'une différence, à invoquer des mécanismes explicatifs de celle-ci. Les mécanismes invoqués peuvent fort bien être effectivement explicatifs, ils peuvent tout aussi bien ne pas être ceux qui médiatisent la relation du milieu social aux comportements étudiés. Seules des expériences spécifiquement conçues pour le vérifier peuvent permettre d'en décider. Le fait remarquable ici est que la littérature est aussi foisonnante en propositions explicatives qu'elle est avare en expériences de vérification, ce qui en soi ne ferait guère problème si, peu à peu, les mécanismes explicatifs invoqués n'en venaient, du fait de l'auteur et/ou du lecteur, à être considérés comme établis alors même que seule leur formulation verbale l'a été.

Il existe également une abondante littérature qui montre l'existence de relations entre divers indices familiaux et difficultés d'apprentissage de la lecture. Malmquist (1972, 1981), Vernon (1971) et, plus récemment, Sartain (1981) par exemple rapportent de nombreuses études de ce type. La difficulté majeure qui se pose à la lecture de ces travaux est de savoir quels sont parmi les indices familiaux dont la relation avec les résultats en lecture est rapportée, ceux qui sont simplement des indicateurs du milieu social et ceux qui peuvent être considérés comme des mécanismes par lesquels le milieu agit sur l'apprentissage de la lecture. Comment considérer par exemple ce type de faits :

> « Un enfant qui a grandi entouré de livres nombreux, que l'on considère avec respect, a plus de chances de devenir un bon lecteur qu'un enfant issu d'un milieu où les livres sont inconnus. Les lecteurs médiocres ont tendance à provenir de foyers dont le niveau de culture générale est inférieur à celui des familles des bons lecteurs » (Malmquist, 1973, 102).

Le pourcentage de livres est-il un indicateur du milieu social, en l'occurrence plus précisément un indicateur du niveau culturel familial ? On pourrait en effet considérer qu'un tel indicateur est plus valide que le diplôme de plus haut degré possédé ou le nombre d'années d'études des parents, dans la mesure où il reflète plus directement des valeurs culturelles, qui peuvent être indépendantes de la scolarité, et être utilisé dès lors comme un substitut des précédents. Mais on peut également, de manière différente, considérer cet indice non pas comme un indicateur socioculturel mais comme un mécanisme explicatif. Cette position est tout aussi concevable si l'on pose que la présence de livres est une des façons par lesquelles le milieu social agit sur la lecture par la médiation de facteurs de familiarité, valeur, motivation, pratique de la lecture orale à l'enfant, etc. Rien ne permet de trancher entre ces deux interprétations. La séparation entre ce qui est établi dans les faits — ici la corrélation entre le pourcentage de bons lecteurs et le pourcentage de livres à la maison — et ce qui pourrait expliquer ces faits n'est pas toujours très nette dans ce type de recherches. Un autre exemple est celui de la possession d'une chambre personnelle :

> « L'auteur a vérifié la corrélation entre le fait pour l'enfant de disposer d'une chambre personnelle et celui de réussir son apprentissage de la lecture (échantillon de 399 élèves de CP). La poursuite de recherches sur l'environnement est nécessaire, spécialement en ce qui concerne les niveaux des classes suivantes, alors que le travail à la maison exige que la lecture soit devenue courante ; mais on peut penser que la disposition d'une chambre pour lui seul ait alors une importance encore plus grande sur le profit que l'enfant tire de la scolarité » (Malmquist, 1973, 70).

Le fait établi — la corrélation entre la possession d'une chambre personnelle et la réussite dans l'apprentissage de la lecture — est-il un indicateur du milieu social, par exemple d'une aisance matérielle suffisante et/ou d'une valorisation culturelle de l'autonomie personnelle, ou un mécanisme explicatif ? Le texte invite à opter pour cette seconde formule dans la mesure où il fait référence à ce que l'on pourrait appeler « les conditions de travail de l'écolier à la maison ». Cette condition que l'on pourrait effectivement considérer comme favorable à un niveau ultérieur paraît cependant quelque peu anachronique au niveau étudié, celui du CP. Il est donc difficile de considérer ici la possession d'une chambre personnelle comme un mécanisme qui expliquerait la relation entre milieu social et résultats dans l'apprentissage de la lecture.

Si l'on veut bien admettre que du fait constaté à son interprétation comme mécanisme le glissement s'opère d'autant plus aisément, comme on vient de le voir sur l'exemple de la chambre personnelle, que l'auteur est assuré d'une complicité théorique du lecteur reposant sur leur foi commune en l'existence de handicaps socioculturels, il importe, pour voir s'il existe des faits favorables à l'action de tels handicaps pour l'apprentissage de la lecture, de disposer de données permettant de séparer aussi clairement que possible les faits de l'interprétation. Les travaux réalisés dans les années soixante permettent difficilement d'opérer ainsi[1]. Nous nous tournons donc maintenant vers des travaux plus récents qui, différenciant plus nettement conditions et mécanismes, en même temps que plus structurés, apportent une information différente.

4.2 – L'éducation familiale

4.2.1 – Les travaux anglo-saxons. — L'étude des mécanismes passe, dans les travaux anglo-saxons, par la distinction entre variables d' « état » et variables de « processus », ou variables « distales » et variables « proximales ». Les variables d'état ou variables distales prennent la forme des indicateurs habituels que sont la profession, le niveau d'études ou le revenu ; tandis que les variables de processus ou proximales sont constituées de facteurs supposés caractéristiques du milieu familial qui, médiatisant l'effet des variables d'état, permettraient d'expliquer les relations liant celles-ci aux difficultés d'apprentissage de la lecture.

Les variables prises en considération dans les questionnaires remplis par les familles sont donc l'opérationnalisation des facteurs éducatifs que les chercheurs jugent susceptibles d'avoir un effet sur les résultats scolaires de l'enfant. On notera que la possibilité de considérer comme variables de processus des variables non directement éducatives comme les conditions d'habitation ou d'alimentation n'est pas retenue dans les recherches les plus récentes.

Le questionnaire de Dave (1963), souvent repris par les chercheurs, constitue un exemple de mise en forme de ce type d'approche. Les six dimensions qu'il évalue sont les suivantes :

— La pression vers la réussite : aspiration des parents pour l'éducation de l'enfant ;
— le modèle de langue : qualité de la langue qu'emploient les parents (par exemple prononciation, vocabulaire) ;
— l'aide scolaire : importance de la supervision exercée par les parents et suggestions concernant le travail à l'école ;

1. Relevons à ce propos cette remarque de Reuchlin concernant la question des relations entre climat familial et réussite scolaire :
« Ces difficultés [...] tiennent aussi et peut-être plus encore, à l'incertitude des interprétations causales qui peuvent être proposées à partir des liaisons observées, même si les auteurs dont les travaux sont rapportés paraissent ne pas toujours percevoir ce problème » (Reuchlin, 1976, 12).

— l'activité familiale : variété et valeur éducative des jouets et des jeux dont dispose l'enfant ;
— les habitudes de travail de la famille : degré de l'organisation et des habitudes dans la vie familiale.

Kellaghan (1977) administre le questionnaire de Dave aux mères d'un échantillon de 60 enfants (30 garçons et 30 filles) âgés de 8-9 ans fréquentant les écoles d'un quartier défavorisé de Dublin. Les corrélations calculées entre chacune des dimensions du questionnaire et les résultats obtenus par les enfants dans deux tests de lecture orale de mots s'avèrent toutes significatives. L'analyse de régression multiple par étapes montre toutefois que les deux seules variables « intellectualisme du foyer » et « habitudes de travail » contribuent de manière significative à l'accroissement de la variance à raison de 36 % pour un test et de 40 % pour l'autre[2].

La recherche faite par Fotheringham et Creal (1980) au Canada porte sur des enfants de troisième année séparés en trois groupes à partir de la réussite scolaire : 33 familles où la réussite est bonne, 35 où elle est moyenne, 35 où elle est faible. Le niveau de lecture des enfants, variable dépendante, est estimé au moyen du *Metropolitan Achievement Test.* Les auteurs prennent en compte 12 variables familiales, 4 relatives au statut socio-économique et 8 à la vie familiale. Ces dernières proviennent en partie du questionnaire de Dave (1963) et d'un questionnaire antérieur de l'un des auteurs. Les 12 variables sont présentées comme suit dans la publication :

— études du père ;
— études de la mère ;
— profession du père ;
— revenu familial ;
— connaissance qu'ont les parents du processus scolaire ;
— occasions offertes au développement de la communication pour l'enfant ;

---

2. « Méthode de régression hiérarchique (dite aussi par étapes et, en anglais, *stepwise*) : selon cette autre approche, les variables indépendantes sont ajoutées une à une à l'équation de régression dans un ordre antérieurement déterminé par le chercheur. A chaque étape, l'accroissement de la proportion de la variance expliquée (c'est-à-dire l'augmentation de R2) est considéré comme la contribution d'une nouvelle variable. Chaque étape donne une régression multiple comportant un nombre limité de variables indépendantes » (Laforge, 1981, 123).

— occasions d'apprentissage en général ;
— climat affectif du foyer ;
— adaptabilité des parents ;
— attentes éducatives et professionnelles des parents vis-à-vis de l'enfant ;
— climat éducatif général du foyer ;
— attentes éducatives des parents vis-à-vis d'eux-mêmes.

L'analyse de régression par étapes montre que, pour l'ensemble des sujets, les variables d'état rendent compte de 28 % de la variance et que la prise en considération des variables éducatives ajoute 19 % supplémentaires, soit 47 % pour le questionnaire dans son ensemble.

Le pourcentage de variance total est plus élevé dans le groupe des élèves faibles (47 %) que dans celui des moyens (27 %) ou dans celui des meilleurs élèves (30 %), mais sachant que la fraction de variance due dans les groupes extrêmes aux facteurs éducatifs est égale à 28 % (groupe de faible niveau) respectivement, l'écart observé dans le pourcentage de variance total ne s'explique pas par un plus grand poids des facteurs éducatifs pour le groupe de faible niveau. L'analyse par étapes montre que c'est la variable « études du père » qui, plus élevée dans le groupe des élèves faibles, en est responsable.

Il apparaît par ailleurs, suivant les résultats fournis, que peu de variables effectuent un apport statistiquement significatif. Outre les « études du père », le « climat éducatif général du foyer » est significatif dans le groupe des élèves faibles, les « occasions d'apprentissage en général » dans le groupe des bons élèves, et aucune variable dans le groupe des moyens.

Une recherche conduite en France dans le cadre de l'INOP (Aubret, 1977 ; Aubret-Beny, 1981 ; Beny, 1972) intéresse le même secteur de préoccupations. La population comprend 3 600 enfants examinés en CP en 1971 et pour trois quarts desquels on dispose également de renseignements recueillis en 1974-1975 dans le domaine scolaire. Des résultats publiés par l'auteur on peut extraire ceux qui concernent la prédiction de la réussite en français en 1974-1975 à partir des informations constituées en 1971. L'auteur indique que les meilleurs prédicteurs sont dans l'ordre décroissant : les appréciations scolaires portées par les enseignants de CP, le QI, la note de calcul, puis le niveau d'études de la mère, la catégorie professionnelle du père, le climat éducatif dans la famille, et elle conclut :

> « Les variables familiales n'apparaissent pas ici plus particulièrement liées à la réussite en français, contrairement à ce que l'on pense souvent » (Aubret, 1977, 149).

Les analyses de régression multiple montrent par ailleurs (Aubret-Beny, 1981, 266) que la part de la variance revenant aux prédicteurs socio-économiques est supérieure à celle relevant des prédicteurs éducatifs (ici la « disponibilité » et l' « initiative »).

Que le pourcentage d'appréciations « Très bien » en lecture augmente suivant la catégorie socioprofessionnelle du père, à note éducative égale, témoigne d'une autre façon du fait que les variables éducatives mesurées ne rendent pas totalement compte de la relation entre milieu social et résultats en lecture.

Les recherches de Kellaghan, Fotheringham et Creal, et Aubret-Beny, dont nous venons de présenter quelques aspects qui intéressent notre propos, partagent le souci de mettre en relation les résultats scolaires des enfants avec des variables socio-économiques et des variables éducatives. Le traitement des données par la méthode de régression hiérarchique dans les trois cas, s'il facilite leur comparaison, n'apporte guère d'eau au moulin de la thèse du handicap socioculturel.

Ces recherches en effet ne mettent pas en évidence d'importantes différences entre les milieux sociaux pour des raisons diverses. L'étude de Kellaghan ne porte que sur des enfants de milieu défavorisé mais la conclusion de l'auteur (Kellaghan, 1977, 758) est qu'il retrouve pour cet échantillon particulier les principaux aspects apparents dans des études antérieures effectuées sur des échantillons sociologiquement hétérogènes.

La comparaison de Fotheringham et Creal (1980) ne porte pas non plus sur des milieux sociaux mais sur des niveaux scolaires. Dans la mesure où on peut supposer que les uns recouvrent en partie les autres, la similitude d'ensemble observée entre les résultats des trois analyses de régression ne va pas dans le sens des différences auxquelles on pouvait s'attendre.

Les données rapportées par Aubret-Beny, qui comportent quatre catégories socioprofessionnelles, ne font pas mention de l'usage de tests de signification statistique permettant de savoir si la relation entre variables éducatives et résultats en lecture varie suivant les milieux sociaux, de telle sorte que les difficultés d'apprentissage de la lecture des enfants des milieux défavorisés puissent être imputées à des pratiques éducatives spécifiques des milieux défavorisés.

La seconde raison qui nous incite à ne pas considérer ces données comme favorables à la thèse du handicap socioculturel tient au pourcentage de variance expliqué respectivement par les variables socio-économiques et les variables éducatives. Dans la mesure où, pour les défenseurs du handicap socioculturel, la quasi-totalité de l'effet des variables socio-économiques passe par ces variables éducatives, on devrait s'attendre à ce que la contribution propre des variables socio-économiques soit à peu près nulle ou, à tout le moins, nettement inférieure à celle des variables éducatives. On observe, à l'inverse, dans la recherche de Fotheringham et Creal (1980), 28 % pour les variables socio-économiques et 19 % pour les variables éducatives. Aubret-Beny observe le même phénomène.

Le troisième aspect de ces recherches qui nous paraît peu compatible avec la thèse rendant les pratiques éducatives familiales responsables des difficultés d'apprentissage de la lecture des enfants est relatif à la fraction de variance que la méthode de régression hiérarchique attribue aux facteurs éducatifs. Deux des six facteurs de Kellaghan (1977) sont significatifs, aucun ou un par groupe d'élèves sur les huit facteurs éducatifs de Fotheringham et Creal (1980). Aubret-Beny (1981, 267) insiste pour sa part sur la faible fraction de variance qui revient aux facteurs éducatifs dans ses résultats.

En l'absence de différences établies inter-groupes, compte tenu de la faiblesse du pourcentage de variance dont rendent compte les facteurs éducatifs et du faible nombre de ceux qui s'avèrent effectuer un apport statistiquement significatif, les études mettant en relation les variables socio-économiques et éducatives et les résultats dans l'apprentissage de la lecture ne nous paraissent pas favorables à la thèse du handicap socioculturel.

4.2.2 – Quelques recherches récentes en langue française. —
Selon la thèse du handicap socioculturel l'école en général et

l'apprentissage de la lecture en particulier représentent aux yeux des parents de milieu défavorisé davantage un mal nécessaire qu'une étape importante dont dépend l'avenir de l'enfant. Ils attendent peu de l'école, s'intéressent médiocrement au travail scolaire de l'enfant, ne l'aident guère à y faire face. On ne saurait donc s'étonner du manque de motivation des enfants et, par suite, de leurs difficultés. Les réponses recueillies par Berger (1979, 120) auprès d'instituteurs à la question « A quoi attribuez-vous l'échec de vos élèves » sont éloquentes à ce propos.

Quelques recherches récentes en langue française permettent de voir si cette perception de la relation que les parents de milieu défavorisé entretiennent avec l'école et l'apprentissage de la lecture est fondée.

En ce qui concerne les attentes des parents on trouve quelques éléments de réponse dans une enquête de Lévy-Leboyer et Pineau (1980). Un questionnaire est administré aux parents de 100 enfants de cm2 et 100 enfants de sixième, le nombre de garçons et de filles étant égal. Les parents sont répartis en trois catégories socioprofessionnelles. Les auteurs rapportent les résultats suivants :

> « Résultats inattendus : 1 / Les « expectations » des parents ne déterminent pas les résultats scolaires des enfants mais [...] elles sont plus élevées chez les parents de niveau scolaire modeste » (Lévy-Leboyer et Pineau, 1980, 144).

> « Lorsqu'on compare le niveau d'expectation en fonction du niveau scolaire du père, on s'aperçoit que les expectations « faibles » (ne pas demander les notes, ne pas avoir d'ambition pour l'enfant, accepter un travail manuel pour lui, ne pas le pousser) caractérisent 59 % des pères ayant au moins le baccalauréat, par opposition à 38 % des pères de niveau scolaire modeste et 44 % de ceux n'ayant pas de diplôme. En outre, près de la moitié des pères de niveau modeste expriment un niveau d'expectation moyen. Mieux encore, c'est chez les pères de *faible* niveau scolaire qu'on trouve le plus grand nombre d'expectation *élevées* » (*ibid.*, 145).

A ces résultats totalement contradictoires avec ceux que la thèse du handicap socioculturel permettait de prévoir et qui concernent les attentes des parents à l'égard de l'école, on peut joindre ceux qui proviennent d'une recherche américaine relative aux *attentes des enfants*.

Selon la thèse du handicap socioculturel les enfants de milieu social défavorisé, comme leurs parents, attendent peu de l'école et ont une représentation médiocre de leur avenir scolaire. Or Entwisle et Hayduk (1978) mettent en évidence dans leur livre (*Too great expectations: the academic outlook of young children*, 1978) le caractère erroné des idées dominantes à ce sujet. Leur recherche porte sur des enfants des trois premières années d'école obligatoire. L'échantillon comporte deux groupes d'enfants blancs de classe moyenne et un groupe d'enfants d'ouvriers composé de 60 % de Noirs et 40 % de Blancs. L'étude très documentée de ces enfants suggère que, contrairement à ce que l'on pense couramment, les enfants de milieu ouvriers, blancs ou noirs, ont au début de la vie scolaire un niveau d'attente exagérément élevé plutôt qu'exagérément faible si on le rapporte aux probabilités de réussite effective.

Sous l'angle des valeurs maintenant la question est de savoir si les faits disponibles correspondent à la conception du handicap socioculturel selon laquelle les difficultés d'apprentissage de la lecture sont en partie dues au fait que l'école et l'apprentissage de la lecture ont peu de valeur aux yeux des parents de milieu défavorisé.

Le témoignage des instituteurs recueilli par Berger est ici intéressant :

« Les parents dits « modestes » manifestent, en général, beaucoup d'estime aux maîtres de leurs enfants et témoignent d'un grand respect pour l'instruction. Les interrogés soulignent d'ailleurs assez souvent que les parents ouvriers, non seulement s'inquiètent du travail scolaire de leurs enfants, mais aussi tiennent à savoir si leur conduite en classe ne laisse pas à désirer. Bien qu'ils ne viennent que rarement à l'école, ce n'est pas par indifférence qu'ils s'en abstiennent. Leurs contacts assez espacés avec les instituteurs s'expliquent, selon les interrogés, non seulement par le manque de temps des salariés, mais aussi par leurs difficultés à s'exprimer. Tous ces éléments qui freinent déjà les « petites gens » autochtones s'avèrent d'un poids bien plus lourd encore pour les parents immigrés. Cependant, ceux-ci, comme les parents ouvriers français, attachent souvent une grande valeur au bon rendement scolaire de leurs enfants » (Berger, 1979, 129).

Sur la foi de cette enquête on ne saurait considérer que les parents de milieu modeste refusent l'école et ses enseignements. C'est plutôt le sentiment inverse qui s'impose.

Si l'on considère plus spécifiquement l'apprentissage de la lecture, on trouve quelques indications convergentes dans deux mémoires de maîtrise réalisés indépendamment l'un de l'autre.

A la question de savoir si « l'école maternelle doit en priorité apprendre à nommer quelques lettres et à reconnaître quelques mots », Metreau (1981)[3] relève 10 réponses positives dans le sous-échantillon de parents de grande section d'école maternelle appartenant à un milieu défavorisé, contre 12 pour le milieu moyen et 3 pour le milieu favorisé. Chaque sous-échantillon comporte 30 parents et les enfants proviennent de 13 écoles différentes.

L'enquête de Beaulieu-David (1980)[4], institutrice d'école maternelle, porte également sur des parents ayant un enfant en grande section et comprend deux sous-échantillons sociologiquement contrastés de 21 parents chacun. Les enfants proviennent de 4 écoles différentes. A la question « A votre avis, est-il nécessaire que l'enfant commence l'apprentissage de la lecture dès la Maternelle ? », 19 parents de milieu défavorisé répondent par l'affirmative contre 13 de milieu favorisé, et à la question sans doute ambiguë sur le plan de l'information mais dont les connotations sont intéressantes pour notre propos « L'enfant apprend-il à lire à l'école maternelle ? », 12 parents de milieu défavorisé donnent une réponse positive contre 4 pour le groupe de parents favorisés.

De ces réponses, si limités que soient les échantillons dont elles proviennent, ressort une valorisation de l'apprentissage de la lecture par les parents de milieu modeste qui ne correspond pas aux positions affirmées par la conception du handicap socio-culturel.

Pourtois et Delhaye (1981) apportent également des données dans cette direction qui proviennent d'une recherche portant sur des mères d'enfants au seuil de l'enseignement primaire qui se répartissent en deux groupes de 20 mères de milieu socioculturel défavorisé et 20 mères de milieu socioculturel favorisé. De l'analyse des réponses associatives produites aux mots stimuli « école », « école maternelle », « école primaire » et « école secondaire » : retenons cette conclusion des auteurs pour la question débattue ici :

> « Les milieux défavorisés, plus laconiques dans l'ensemble, ont de l'école une vision réductrice dans la mesure où ils se focalisent sur les

---

3. Travail effectué à l'Université Toulouse-Le Mirail sous notre direction.
4. Travail effectué à l'Université Toulouse-Le Mirail sous la direction de Michel Bataille.

apprentissages de base. Leur propension à privilégier la lecture, l'écriture et le calcul au détriment des autres objectifs que l'école s'assigne, est l'une des constatations majeures de la recherche [...], ces mêmes catégories sociales valorisent hautement l'institution scolaire, elles y voient un acquis social appréciable. Dans la sphère des connaissances où elle fonctionne, l'école détient pratiquement, en milieu populaire, le monopole de l'initiation, c'est un passage obligé et son action est vitale » (Pourtois et Delhaye, 1981, 29).

L'aide qu'apportent les parents aux enfants dans le domaine scolaire est également considérée comme insuffisante dans les milieux défavorisés et susceptible d'être une des raisons des difficultés rencontrées par les enfants dans l'apprentissage de la lecture.

Le questionnaire de Beaulieu-David (1981) comporte deux questions relatives aux pratiques des parents au niveau préscolaire. A la question « Lui apprenez-vous à reconnaître des mots ? », 19 parents de milieu défavorisé répondent par l'affirmative contre 13 parents de l'autre groupe. « Lui apprenez-vous les lettres de l'alphabet ? » recueille 17 réponses positives des parents de milieu défavorisé et 16 de milieu favorisé. Si l'on en juge par ces réponses, les enseignements familiaux de la lecture sont plutôt le fait des milieux où on les attend le moins si l'on suit la conception du handicap socioculturel. L'affirmation de Ferreiro (1977, 112) selon laquelle les enfants de milieu défavorisé commencent leur apprentissage à l'école alors que les enfants de milieu favorisé l'y continuent, de même que l' « acquis antérieur » postulé par Charmeux (1975, 29), ne sont pas confirmés par les dires des parents concernés.

Le questionnaire de Métreau (1981) comporte des informations complémentaires sur les intentions des parents relativement à leurs pratiques pédagogiques lors du CP l'année suivante. Les parents de milieu défavorisé à qui il était demandé de répondre par un nombre de minutes à la question « Quand votre enfant sera au cours préparatoire, combien de temps pensez-vous consacrer chez vous à la lecture ? » sont ceux dont les durées indiquées sont les plus longues (pour « plus de vingt minutes » ils sont 18, contre 11 au groupe de milieu moyen et 6 au groupe de milieu favorisé). Ils sont également les plus nombreux (21 contre 13 et 9 suivant l'ordre ci-dessus) à choisir la réponse « En le faisant lire tous les jours » à la question : « Au cours préparatoire comment les parents peuvent-ils aider le mieux leur enfant à appren-

dre à lire ? ». En réponse enfin à la question : « Que feriez-vous
si votre enfant avait de grosses difficultés en lecture ? », ils sont
21 de milieu défavorisé à déclarer vouloir le faire travailler
eux-mêmes, alors que cette réponse est choisie par 9 parents
de milieu social moyen et 16 de milieu favorisé ; les autres
réponses possibles (consulter un psychologue, un médecin,
voir la maîtresse) recueillent des fréquences de réponse quasi
identiques dans les trois groupes de parents. On ne peut qu'être
frappé à la lecture de ces résultats par le fait que les parents
qui affirment avec le plus de force leur détermination à aider
leur enfant sont précisément ceux que la conception du handicap
socioculturel suppose le plus étrangers à cette préoccupation.

Une recherche anglo-saxonne de Harmer et Alexander (1978)
complète cet ensemble de résultats relatifs aux comportements
et aux attitudes d'aide scolaire. Les deux parents (N = 214)
de 107 enfants fréquentant un service clinique pour enfants
en difficultés scolaires répondent à un questionnaire d'attitudes
type échelle de Likert relatives à l'éducation des enfants
dans la famille et à la lecture. Des corrélations significatives
apparaissent entre attitudes des parents et résultats au WISC
aussi bien qu'à des tests de connaissance, mais les corrélations
entre les indicateurs de milieu social et les attitudes des parents
s'avèrent en général non significatives. Les auteurs en concluent
que les cliniciens doivent cesser de supposer que les parents ayant
un bon niveau d'instruction ont plus souvent que les parents de
moindre niveau des attitudes de soutien de leur enfant en lecture.

Il apparaît donc que, dans le domaine des attentes comme
dans celui des valeurs ou de l'aide scolaire, les recherches
effectuées démentent l'existence d'un handicap particulier
des enfants de milieu défavorisé. Il est curieux d'observer que
non seulement les caractéristiques attendues n'apparaissent
pas mais que, mieux encore, les faits produits indiquent une
tendance persistante en sens contraire.

Les recherches empiriques consacrées à ces questions sont
néanmoins peu nombreuses. Elles portent sur des échantillons
parfois de taille limitée et utilisent trop souvent un moyen
d'investigation, le questionnaire, dont on sait quels problèmes
de validité il pose de manière persistante aux chercheurs (voir
par exemple Lautrey, 1980, chap. III). Il est donc souhaitable
que l'étude de la relation des parents de milieu défavorisé avec

l'apprentissage de la lecture donne lieu aux recherches empiriques approfondies que nécessitent tant l'importance que lui attribue la conception du handicap socioculturel que le démenti infligé par les faits rapportés ci-dessus.

4.3 – Le Langage

4.3.1 – Les formulations du problème. — La formulation du handicap linguistique varie d'un auteur à l'autre, comme en témoignent les citations suivantes :

> « Dans les observations faites dans des familles de bas niveau social, les séquences de parole semblent être très limitées dans le temps et pauvrement structurées sur le plan syntaxique. Il n'est donc pas surprenant de trouver que l'organisation syntaxique et la continuité du propos soient un point central du déficit du développement du langage des enfants » (Deutsch, 1963, 174).
> « Les parents eux-mêmes échouent souvent à utiliser avec précision les relations propositionnelles et leur syntaxe est confuse. Ils constituent donc de pauvres modèles linguistiques pour leurs jeunes enfants » (Hunt, 1968, 31).

Partant de là, il apparaît possible d'envisager l'existence d'un handicap linguistique sous un angle plutôt psycholinguistique ou plutôt sociolinguistique.

4.3.2 – L'approche psycholinguistique. — Sous l'angle psycholinguistique on peut supposer que les difficultés d'apprentissage de la lecture sont dues à un déficit de développement du langage, voire à des défauts d'articulation, l'un et l'autre d'origine sociofamiliale.

La relation entre le niveau de développement du langage en général ou la présence dans celui-ci de défauts d'expression a donné lieu à de nombreuses recherches dont Malmquist (1973, 83-86) et Vernon (1971, 70-76) rendent compte. Ces recherches, inspirées par la position cognitiviste, présentent les difficultés que nous avons indiquées à propos de cette position en général au chapitre 2. Leurs résultats ne peuvent non plus être invoqués au bénéfice de la conception examinée ici car ils sont socialement indifférenciés. Suscitées en effet par la problématique cognitiviste, ces recherches ne comportent pas d'indications d'ordre sociologique relatives à la composition de la population étudiée.

On ne saurait affirmer, sans étude spécifique, prenant par exemple la forme de groupes sociologiquement contrastés, que les enfants issus d'un milieu défavorisé présentent plus que les autres un retard de développement du langage lui-même associé à des difficultés d'apprentissage de la lecture. Les faits disponibles, tels que constitués, ne peuvent servir à affirmer l'existence d'un handicap linguistique des enfants de milieu défavorisé. On ne trouve pas dans la littérature, à notre connaissance, de recherche qui, reprenant cette hypothèse d'un moindre développement ou d'un développement défectueux du langage, se soit attachée à l'enraciner dans un milieu social déterminé. Il semble d'ailleurs que ce type d'hypothèse, sociologiquement spécifié ou non, n'ait plus inspiré de travaux empiriques depuis 1970 environ.

Une exceptionnellement vaste et systématique revue de travaux de Hammill et McNutt (1980) justifie en partie l'abandon de cette piste de recherches. Les auteurs, après examen de 20 périodiques spécialisés (psychologie, lecture, enfance inadaptée, langage) de 1950 à 1978, ont analysé les 89 articles indiquant des corrélations entre tâches de langage oral ou écrit et lecture. Les publications analysées portent sur des lecteurs ordinaires et/ou des mauvais lecteurs et les populations sont aussi bien sociologiquement homogènes qu'hétérogènes. Les auteurs concluent ainsi à l'issue d'un traitement statistique des corrélations rapportées dans les publications :

> « Les résultats indiquent une très forte relation entre l'expression écrite et la lecture, une relation faible entre la compréhension de la langue parlée et la lecture, et une relation pratiquement nulle entre l'expression orale et la lecture » (Hammill et McHutt, 1980, 273).

Au cours de la période récente de nombreuses recherches ont été consacrées au développement du langage ou aux différences de langage entre milieux sociaux mais ces recherches, souvent très originales par comparaison avec celles qui les ont précédées, n'ont pas trait à l'apprentissage de la lecture, tantôt en amont de celui-ci (voir Richelle, 1976), tantôt à l'aval (Esperet, 1979 ; Rondal, 1978).

4.3.3 – L'approche sociolinguistique. — Le raisonnement qui soutient l'hypothèse que les difficultés d'apprentissage

de la lecture des enfants de milieu défavorisé sont d'origine
linguistique tient en trois propositions successives :

— la première constate qu'il existe une différence de résultats dans l'apprentissage de la lecture selon le milieu
social ;
— la seconde constate qu'il existe des différences dans la
langue parlée des enfants selon le milieu social ;
— la troisième en conclut que la seconde est cause de la
première, c'est-à-dire que les difficultés d'apprentissage
de la lecture s'expliquent par les différences linguistiques
constatées.

Sur le plan des faits la première proposition ne pose guère
problème (voir partie 3 de ce chapitre), pas plus que la seconde
(Bernstein, 1975 ; Labov, 1978). Pour la troisième par contre
la question est de savoir si elle peut également être acceptée.
En réponse à cette question, il convient de distinguer ce que dit
l'opinion commune et ce que disent les faits.

Pour ce qui est de l'opinion, il est clair que la quasi-totalité
des chercheurs accepte la proposition qui attribue au langage
des enfants de milieu défavorisé un rôle important dans les
difficultés qu'ils rencontrent dans l'apprentissage de la lecture.
Pour la plupart d'entre eux en effet la question ne se pose
même pas et la recherche se situe en aval de cette question.
Le problème qui se pose se situe donc soit sur le plan de
l'approfondissement linguistique, soit sur celui des conséquences
pédagogiques[5], mais la question préalable ne souffre pas de
discussion.

L'existence des importantes minorités aux Etats-Unis que
constituent les Noirs, et à un moindre degré, les Américano-
Mexicains, n'est sans doute pas étrangère à l'extraordinaire
engouement dont y jouit ce secteur de préoccupations.
En témoignent le grand nombre d'articles de recherches
qui leur sont consacrés : 145 au sujet du seul vernaculaire noir-
américain dans la bibliographie annotée de Harber et Beatty
(1978), trois revues de question publiées en deux ans dans le

---

5. De nombreux auteurs proposent des solutions possibles dans le cadre scolaire :
Barnitz (1980) distingue 5 implications pédagogiques, Padak (1981) en distingue 4.
Dillingofski (1979) évoque 5 possibilités concernant le matériel et 2 pour les maîtres.
Goodman (1965), Seitz (1977), Venezky (1970) indiquent chacun 3 solutions.

même périodique, *The Reading Teacher*, sur l'apprentissage de la lecture vu sous l'angle sociolinguistique (Barnitz, 1979 ; Dillingofski, 1979 ; Padak, 1981).

En témoigne également le procès intenté par des élèves à une institution scolaire qui, accusée de ne pas avoir suffisamment pris en compte leurs particularités linguistiques, était rendue responsable de leurs difficultés scolaires, et le retentissement de ce procès dans l'opinion américaine (Yellin, 1980).

En témoigne enfin l'importance prise dans différentes régions des Etats-Unis par les programmes d'enseignement bilingue qui, depuis la loi adoptée en 1967, permet aux enfants d'effectuer, au Texas par exemple, leurs premiers apprentissages scolaires dans leur langue maternelle (Gamez, 1979). Un demi-million d'enfants environ participaient en 1979 à des programmes bilingues ou d'anglais langue seconde, et un million d'autres enfants par an étaient prévus dans de tels programmes au cours des quelques années à venir (Gonzales, 1981).

Avant d'en venir à l'examen des faits, une analyse plus détaillée des positions théoriques des défenseurs de la thèse sociolinguistique est nécessaire.

Selon un premier courant théorique attaché aux travaux de Bereiter et Engelman (1966), les différences linguistiques constatées entre enfants des divers milieux sociaux sont à interpréter comme la manifestation chez les enfants de milieu défavorisé d'un « handicap sociolinguistique ». Les particularités de la langue parlée de ce milieu sont considérées comme des erreurs par rapport aux normes linguistiques de l'école. Elles portent préjudice à l'enfant au moment de l'apprentissage de la lecture. On sait comment la distinction opérée par ailleurs par Bernstein (1961) entre « code restreint » et « code élaboré » a été utilisée comme support théorique de thèses contre lesquelles Bernstein s'est pourtant élevé vigoureusement (1970).

Cette position, sévèrement critiquée par Labov (1969, 1970) et divers auteurs, tant sur le plan idéologique que méthodologique (Baratz et Baratz, 1970 ; Dannequin, Hardy et Platone, 1975 ; Padak, 1981, 146-147), constitue la première version sociolinguistique qui met en cause le langage de l'enfant par rapport à ses difficultés d'apprentissage de la lecture. Elle n'a pas, à notre connaissance, suscité de recherches empiriques dans le domaine de la lecture susceptibles d'étayer ses prises de position théorique et, aussi important que soit son écho dans l'opinion, elle ne propose pas de données recueillies à des fins de vérification scientifique. On retrouve ici une situation assez semblable à celle évoquée ci-dessus à propos d'un éventuel retard de développement du langage parlé ou de possibles dysfonctionnements de celui-ci : l'absence d'études visant à vérifier l'existence du mécanisme postulé dans la population désignée. Rondal, Adrao, Neves et Dalle (1982), dans une étude réalisée au Québec, apportent des données qui vont à l'encontre de la thèse du handicap socioculturel à un niveau d'âge qui nous intéresse particulièrement. Etudiant en effet la compréhension qu'ont du langage de l'enseignant (épreuves du vocabulaire et de morphosyntaxe) des enfants de maternelle et de première année de milieux sociaux contrastés, ils constatent que les enfants comprennent également bien le langage de l'enseignant quels que soient leur niveau scolaire et leur origine sociale alors que, suivant la conception du handicap socioculturel, de plus grandes difficultés de compréhension auraient dû apparaître chez les enfants de milieu défavorisé.

Les chercheurs américains se sont, de fait, détournés de cette première position sociolinguistique, estimant celle-ci non satisfaisante à l'issue des critiques dont elle a fait l'objet. Les travaux actuels s'inspirent de la position théorique alternative selon laquelle il convient de parler de « différences linguistiques » des uns par rapport aux autres.

La position d'un auteur comme Labov dont les recherches linguistiques servent de support à ce courant, comme Bernstein avait servi de référent théorique au courant précédent, consiste à considérer que l'anglais vernaculaire des Noirs n'est pas fautif par rapport aux normes de l'anglais standard mais est différent. Ce qui était présenté comme des fautes apparaît en fait comme régulier, application de règles systématiques que l'analyse linguistique définit. Ces règles sont au demeurant peu nombreuses et leur utilisation est fonction de la situation.

La retombée de cette seconde version du point de vue sociolinguistique sur la question de l'apprentissage de la lecture s'exprime en termes d' « interférences linguistiques » entre la langue parlée dans le milieu familial et la langue écrite à apprendre à l'école.

Ce qui différencie donc cette seconde version de la première c'est le fait que les différences constatées sont posées comme des faits linguistiques et non comme la manifestation d'infériorités sociologiques. Toutefois, sur le plan de l'apprentissage de la lecture, dans un cas comme dans l'autre, l'analyse conduit à supposer que les enfants de milieu défavorisé sont, pour des raisons de langue, en position inférieure au moment de l'apprentissage de la lecture.

Une certaine confusion règne par ailleurs en ce qui concerne la caractérisation de la langue parlée par les enfants de milieu défavorisé. Il apparaît en effet que la réflexion assimile les unes aux autres les populations ayant pour principal point commun de ne pas parler la langue normative dans laquelle s'effectue l'enseignement, en l'occurrence l'anglais standard pour la plupart des travaux cités.

On peut penser pourtant, comme le remarquent Lucas et Singer (1976), que l'on gagnerait à distinguer différentes sous-catégories. La différenciation qu'ils opèrent entre hispanophones monolingues, hispanophones avec un peu d'anglais, anglophones avec un peu d'espagnol, anglophones monolingues, est un exemple des distinctions qu'il est possible d'effectuer.

Il semble que, à tout le moins, devraient être séparés en deux catégories distinctes les enfants d'immigrants ayant une autre langue maternelle que la langue dans laquelle s'effectue l'apprentissage de la lecture, et les enfants de locuteurs indigènes appartenant à un milieu social défavorisé dont la langue parlée comporte sans doute un certain nombre de caractéristiques comparables à celles que Labov a mises en évidence pour le vernaculaire noir-américain. L'état linguistique de ces deux catégories d'enfants ne pouvant être identique lors de l'apprentissage de la lecture, il convient de ne pas les assimiler l'un à l'autre au moment de l'analyse des faits.

La majorité des études américaines réalisées portant en fait sur le vernaculaire noir-américain, leurs enseignements ne valent donc que pour la langue parlée de locuteurs indigènes, à l'exclusion d'enfants d'immigrants de fraîche date pour qui les problèmes se posent en termes de diglossie et non pas de différences dialectales[6].

---

6. Conformément à l'usage des sociolinguistes américains on emploiera ici le mot « dialecte » pour caractériser un parler défini soit sur une base géographique, soit sur une base sociale ou ethnique.

Les interférences postulées sont tantôt d'ordre phonologique (Melmed, 1970), tantôt d'ordre syntaxique (Stewart, 1967, 1972) ou syntaxique et lexical (N. Chomsky, 1970, 12), tantôt d'ordre sémantique (Smith et Johnson, 1976).

Parmi les recherches empiriques conduites aux fins de vérification de l'existence d'interférences de la langue parlée sur l'apprentissage de la lecture figurent celles de Goodman (1968), Weber (1969) et Rystrom (1970) qui consistent en l'analyse des erreurs de lecture orale. Baratz (1977, 104-106) qui rapporte ces analyses indique que la recherche de Goodman révèle peu d'erreurs dues à la syntaxe du vernaculaire noir-américain et récuse pour des raisons méthodologiques les résultats de Weber et Rystrom également peu favorables à l'hypothèse.

Une étude de Liu (1975-1976) des erreurs en lecture orale de textes écrits en langue standard ou en vernaculaire noir-américain ne fait pas non plus apparaître d'interférences imputables aux différences syntaxiques qui opposent les deux formes linguistiques.

Les expériences de Melmed (1970), souvent citées, examinent de manière beaucoup plus précise l'hypothèse d'interférence phonologique. L'auteur montre que des enfants noirs de troisième année ont des difficultés à effectuer des discriminations auditives entre des mots comme *pass* et *past* qui, différents en anglais standard, sont homophones en vernaculaire noir-américain, mais que les enfants n'ont pas de problèmes pour comprendre ces mots quand ils apparaissent dans un contexte de phrases écrites. Les résultats de l'expérience réalisant une situation de lecture ne sont pas donc favorables à l'hypothèse d'interférences.

Cette expérience n'est toutefois pas totalement concluante car les enfants ayant été choisis parmi ceux qui n'ont pas de problèmes en lecture ne sauraient être représentatifs des enfants en difficulté qui sont précisément la cible de ces recherches. De plus, sachant l'importance que connaît en première année la présentation de mots isolés dans la pédagogie américaine, les travaux de Melmed ne sont pas totalement concluants.

Hart, Guthrie et Winfield (1980) poursuivent les recherches dans la voie tracée par Melmed et, dans une expérience remarquablement planifiée portant sur des enfants de première année et utilisant des mots isolés, aboutissent aux mêmes conclusions négatives. Dans une tâche consistant à apparier les mots écrits avec les mots dits par l'expérimentateur (l'enfant répond à chaque couple par « oui » ou par « non »), les enfants noirs ne font pas plus d'erreurs que les groupes témoins d'enfants blancs de même niveau social et de niveau social supérieur, alors que le matériel verbal avait été choisi de telle sorte que les règles phonologiques du vernaculaire noir-américain puissent se traduire par des erreurs d'appariement.

Hart *et al.* (1980, 636-637) citent une expérience non publiée de Simons (1976) voisine de la leur mais dont ils rejettent les conclusions pour des raisons méthodologiques.

Ce sont des raisons méthodologiques également qu'avance Baratz (1977, 107) pour ne pas tenir compte des résultats d'une expérience pédagogique de Davis, Gladney et Leaverton (1967) consistant à tester l'hypothèse que des enfants apprenant à lire en vernaculaire noir-américain auraient de meilleurs résultats qu'un groupe témoin apprenant à lire en anglais standard. La faiblesse des effectifs (une seule classe de 35 enfants) et l'absence de respect absolu des conditions d'enseignement propres aux deux groupes sont mises en cause. Yellin (1980, 153) indique que Franke (1975) et Shields (1979) n'ont pas trouvé que l'utilisation d'un matériel de lecture rédigé en langue dialectale ait eu des effets bénéfiques. Baratz (1977, 108) rapporte également une étude non publiée de Fasold (1971) consistant en un exercice de closure à effectuer sur un passage de la Bible réécrit en vernaculaire noir-américain, après lecture de celui-ci. Cette technique s'avère décevante : les sujets hésitent, complètent pour 24 % en langue standard, disent préférer que le texte biblique soit écrit en langue conventionnelle.

Une expérience non publiée de Baratz, résumée par l'auteur dans sa revue de travaux (1977, 108), et portant sur 482 enfants noirs de première et deuxième année, montre qu'il existe une corrélation significative entre la maîtrise qu'ont les enfants de l'anglais standard et les résultats qu'ils obtiennent à des tests de compréhension de lecture. La population ayant été subdivisée en trois groupes à partir d'une tâche de répétition de phrases produites en anglais standard ou en vernaculaire noir-américain — monolingues dans l'un ou l'autre des deux formes et cas mixtes — le groupe qui ne connaît que l'anglais standard s'avère avoir des résultats significativement supérieurs en lecture. Ces résultats indiqueraient de plus grandes difficultés de lecture chez les enfants ne connaissant que le vernaculaire noir-américain. Toutefois le résumé de Baratz ne précise pas si les trois groupes sont homogènes sur le plan sociologique. On peut donc se demander si les résultats observés ressortent de différences linguistiques uniquement.

Jaggar et Cullinan (1975) centrent leur recherche sur six structures verbales qui diffèrent en anglais standard et en vernaculaire noir-américain. L'étude, qui ne porte que sur des écoliers noirs, montre que l'acquisition des formes standard est fonction de l'âge, de la situation de parole (production ou réception), et varie d'une forme à l'autre. La relation établie entre la compréhension orale de ces structures et les résultats obtenus en lecture orale n'apporte pas de résultats concluants en faveur de l'hypothèse d'interférences. Yellin (1980, 152) indique pourtant que Stewart (1972) a réussi à montrer l'influence des interférences syntaxiques sur la compréhension de la lecture.

En lecture silencieuse de textes en langue standard ou en vernaculaire noir-américain par des enfants noirs de deuxième et quatrième année, Nolen (1972) n'observe pas non plus de différences en fonction de la forme linguistique utilisée. L'écriture en langue vernaculaire n'apparaît donc pas faciliter sa lecture par les enfants noirs, contrairement à ce que l'hypothèse d'interférence amène à supposer.

Le mode d'approche d'A. Cohen (1970) est original par rapport à ceux indiqués jusqu'ici. Il consiste en une comparaison du vernaculaire oral d'enfants noirs au niveau préscolaire avec celui des manuels de lecture d'usage courant chez les débutants. La comparaison révèle que 79 % des mots des manuels font partie du vernaculaire connu des enfants, ce qui conduit à infirmer l'idée que l'ignorance lexicale des enfants noirs puisse être invoquée pour expliquer leurs difficultés d'apprentissage de la lecture.

L'expérience de Lucas et Singer (1976) examine l'hypothèse d'interférence sur une population de 60 enfants américano-mexicains de première et troisième année. Elle consiste en une étude des corrélations entre les résultats obtenus au test de langage *ITPA*, à un test de lecture orale et une évaluation du langage de l'enfant (4 degrés de l'espagnol à l'anglais). Seuls quelques résultats partiels en troisième année sont en accord avec l'hypothèse : l'existence d'une corrélation négative de l'item de closure syntaxique de l'*ITPA* avec le langage de l'enfant et positive avec la recherche orale. Ceci signifie que les enfants ayant le plus de pratique de l'espagnol chez eux ont tendance à avoir plus de difficultés en syntaxe. Les auteurs en infèrent que le langage de l'enfant affecte la lecture orale par l'intermédiaire des difficultés syntaxiques, et ce bien que les corrélations directes entre le langage de l'enfant et ses résultats en lecture ne soient pas significatives. On peut regretter que le traitement des résultats ne fasse pas usage de corrélations partielles. Pour les auteurs ces résultats assez complexes indiquent que le dialecte parlé à la maison, s'il n'est pas un facteur causal, est à tout le moins indirectement associé à des interférences en lecture orale. Ils appellent à une poursuite de recherches, mais limitées au seul cadre syntaxique car les résultats nuls de première année écartent l'hypothèse d'inter-férences phonologiques.

Barnitz (1980) fait référence à des résultats contraires à l'hypothèse d'interférence dans une étude réalisée par Rentel et Kennedy (1972) et portant sur une population rurale des Appalaches, tandis que Dillingofski (1979) fait état d'autres résultats négatifs de Mathewson et Pereyra-Suarez (1975) pour un dialecte espagnol, de Walker (1975) pour des dialectes de la Newfoundland et de Tharp (1976) dont l'étude menée sur le créole d'Hawaï indique que la différence linguistique en elle-même n'est pas liée aux résultats en lecture.

Si l'on s'intéresse maintenant non plus au cas des variétés dialectales de la langue standard mais à celui des enfants ayant à apprendre à lire dans une langue qui leur est étrangère, ce qui est le cas des immigrants de fraîche date, on ne trouve pas de recherche spécifique consacrée à cette population.

Il peut paraître évident que les enfants appartenant à cette seconde catégorie éprouvent des difficultés d'origine linguistique à apprendre à lire dans une langue qui n'est pas la leur. Les observations occasionnelles que nous avons eu l'occa-sion d'effectuer dans le cadre d'une recherche pédagogique menée dans un pays à forte immigration, Israël (Fijalkow, 1979), nous ont amenés à mettre en doute cette évidence. Une étude exploratoire réalisée par questionnement de maîtres d'écoles primaires de Toulouse au sujet des résultats scolaires d'enfants récemment immigrés du Sud-Est asiatique (Altier, Ben Hamama, Ferriol et Marine, 1981)[7] révèle une étonnante réussite scolaire de ces enfants, en dépit de leur ignorance préalable de la langue française. L'importance réelle de la connaissance antérieure de la langue dans laquelle s'effectue l'enseignement nous paraît donc devoir être étudiée précisément plutôt que d'être considérée comme allant de soi.

L'état de la question, en ce qui concerne les interférences linguistiques, fait l'objet d'un accord quasi unanime des auteurs. Seitz conclut ainsi un opuscule consacré aux rôles des différences ethniques et de classe sociale sur l'apprentissage de la lecture :

> « En résumé, il existe actuellement peu de preuves solides concernant l'existence d'effets cognitifs ou motivationnels des différences dialectales sur l'acquisition de la lecture » (Seitz, 1977, 23).

D'autres formulations sont plus brutales :

> « Il existe beaucoup de spéculation sur la façon dont le dialecte est susceptible d'interférer avec l'apprentissage de la lecture mais il n'existe presque aucune preuve directe sur cette question si importante » (Hart *et al.*, 1980, 636).

On peut trouver une conclusion identique chez Baratz (1977, 109), Barnitz (1980, 782) ou Lucas et Singer (1976, 430). Ce qui ressort en effet des travaux empiriques rapportés ci-dessus, qui semblent bien constituer la quasi-totalité des recherches consacrées à cette question, c'est à la fois leur rareté par rapport au crédit de principe dont jouit ce type de déterminant et leurs conclusions généralement peu probantes en ce qui concerne la validité de cette hypothèse.

Les recherches les plus solides abordent le problème sous l'angle phonologique. La raison de ce choix qu'indiquent les auteurs est l'importance attribuée à l'apprentissage du code grapho-phonétique dans l'enseignement de la lecture. L'analyse sous-jacente est que l'existence de variations dialectales dans l'oralisation de l'écrit (par exemple *pass* et *past*, de même que *told* et *toll*, sont oralisés de la même façon en vernaculaire

---

7. Travail effectué à l'Université Toulouse-Le Mirail sous notre direction.

noir-américain mais différemment en anglais standard) peut
constituer une source de difficultés supplémentaires pour les
enfants noirs. Les expériences de Melmed (1970) et Hart *et al*
(1980) ne confirment pas cette hypothèse.

Il apparaît par ailleurs que, dans un pays utilisant une
langue dont le rapport graphies-phonies est proche de l'unité,
les problèmes de lecture ne sont pas moins importants qu'ailleurs. C'est ce qui nous est apparu pour l'hébreu en Israël
(Fijalkow, 1980). Si l'on en déduit que, de manière générale, la
complexité des correspondances grapho-phonétiques ne joue
qu'un rôle modeste dans l'apprentissage de la lecture, on ne peut
s'attendre à ce que les caractéristiques phonétiques du vernaculaire pèsent d'un grand poids dans le déterminisme des difficultés d'apprentissage de la lecture des enfants parlant une
variante dialectale de la langue standard.

Si l'on revient alors à la distinction faite au point de départ
de ce développement sociolinguistique entre la réponse de l'opinion scientifique et celle des faits à la question de l'existence
d'une relation entre l'apprentissage de la lecture et la langue
parlée par les enfants de milieu défavorisé, on ne peut qu'être
frappé par la disproprotion existant entre le degré d'acceptation
des hypothèses sociolinguistiques et l'extrême minceur des
faits susceptibles de les soutenir. Il est alors intéressant de ver-
ser à ce dossier les positions réservées de quelques auteurs,
sociologues et linguistiques, qui se sont intéressés à la question :

> « Il n'y a absolument rien, dans le dialecte en tant que tel, qui empêche
> un enfant d'intérioriser et d'apprendre à employer des significations
> universelles » (Bernstein, 1975, 260).

> « Nous n'avons exposé dans ce chapitre que quelques-unes des causes
> qui permettent d'expliquer les difficultés de lecture des écoliers des
> ghettos. Et nous ne pensons pas qu'il s'agit là des causes principales ;
> bien au contraire » (Labov, 1978, 69).

> « Rien n'incite à penser qu'un quelconque vocabulaire non standard
> puisse être en soi un obstacle à l'apprentissage » (*ibid.*, 158).

> « Pour certains auteurs, semble-t-il, l'échec de l'apprentissage de la
> lecture est dû avant tout à une interférence des structures de ces deux
> variétés de l'anglais. Nos recherches indiquent le contraire » (*ibid.*, 159).

> « Quoiqu'il existe des différences significatives entre les différents
> systèmes d'écriture, il ne faut pas décider d'exclure la possibilité que
> ces différences ne jouent qu'un rôle très minime dans l'habileté à acquérir
> la maîtrise de ce système, si on les compare à d'autres facteurs » (Halle,
> 1972, 151).

5 | DISCUSSION

5.1 – La démarche de recherche et ses présupposés

Le dispositif de base utilisé dans ces recherches repose sur la confrontation de deux groupes d'enfants contrastés par l'origine sociale, l'un étant de milieu favorisé et l'autre de milieu défavorisé. La recherche de différences entre ces deux groupes constitue le principe commun de bon nombre des recherches publiées.

L'analyse sociologique sous-jacente ne dépasse donc pas le manichéisme d'une opposition entre « favorisés » et « défavorisés » qui ne recouvre rien d'autre en dernier ressort que la distinction entre « riches » et « pauvres », ou « instruits » et « ignorants ». Ce simplisme sociologique comparé avec ce qu'une analyse sociologique dans le champ de la culture — celle du goût par exemple (Bourdieu, 1979) — peut révéler de degrés au sein d'une population indique d'emblée le caractère extrêmement fruste de ce que l'on pourrait appeler ici « la sociologie des psychologues de l'éducation » et, par suite, le niveau dès lors inévitablement primaire des recherches qui en procèdent. Il y a peu de risques à affirmer qu'une des conditions du progrès des connaissances en ce domaine passe par une analyse sociologique affinée qui, dépassant le caractère sommaire de la dichotomie en vigueur, saurait fonder la recherche de conséquences scolaires sur une sociologie de l'éducation familiale suffisamment différenciée pour être heuristique.

Sans doute faut-il faire ici la part de la difficulté du travail interdisciplinaire aussi bien que de celle qu'implique la constitution d'échantillons finement différenciés. Il n'en reste pas moins qu'une habitude de travail aussi généralisée ne saurait dépendre en totalité de seuls facteurs de commodité. Il semble difficile d'éliminer la possibilité que des jugements de valeur, plus ou moins explicites suivant les auteurs, commandent la dichotomisation du champ social.

De même que les travaux cognitivistes paraissent basés sur le présupposé d'un déficit neurologique de l'enfant, les travaux inspirés par la conception du handicap socioculturel donnent l'impression de présupposer le plus souvent des déficits d'ordre sociologique. On passe ici d'un problème technique — la définition des degrés qu'il convient de distinguer dans le champ — à un problème de valeurs. Les milieux sociaux défavorisés apparaissent moins de ce point de vue comme des milieux différents que comme des milieux inférieurs. On peut craindre alors que cette représentation essentiellement dévalorisante n'entraîne une simplification de la réalité et que l'ignorance de la complexité culturelle que révèlent des ouvrages sociologiques comme *La culture du pauvre* (Hoggart, 1970) ou *La vie en bleu* (Fremontier, 1980) ne nuise aux recherches qui en procèdent.

5.2 – Les méthodes de vérification

L'analyse de la littérature fait apparaître que les pratiques de recherche en vigueur dans ce secteur ne diffèrent guère de celles examinées plus haut dans d'autres secteurs et que leurs conclusions sont affectées des mêmes limitations. Tel est le cas de la mise en évidence de différences ou du constat de corrélations.

Ici, comme pour d'autres conceptions, les propositions théoriques mises en avant sont limitées par l'appareil de vérification utilisé. L'absence de vérification du déficit énoncé par l'étude d'autres comportements ou situations est particulièrement regrettable. Que l'effort de vérification ne porte que sur le cas de la lecture, sans examen d'autres situations scolaires et extra-scolaires, limite sévèrement le crédit que l'on peut accorder au déficit postulé. De même regrette-t-on la rareté de tentatives de vérifications complémentaires par des études longitudinales ou des expériences d'apprentissage.

Plus spécifiquement, dans le cas considéré, l'établissement d'un fait probant, c'est-à-dire favorable à la conception du handicap socioculturel, nous paraît exiger que soient établies dans la même étude

1 / une relation entre milieu social *(a)* et une variable sociofamiliale *(b)* susceptible d'être un mécanisme, le langage par exemple ;

2 | une relation entre cette variable familiale *(b)* et la mesure choisie de la lecture *(c)* ;

3 / une relation entre milieu social *(a)* et lecture *(c)* que la variable sociofamiliale retenue permettrait d'expliquer.

Or, la littérature fournit le plus souvent des études illustrant la relation *3* entre milieu social et lecture (partie 3 de ce chapitre), beaucoup moins d'études établissant des relations de type *1* ou *2* et pratiquement aucune traitant simultanément de tous les éléments du schéma.

La nécessité qu'il y a à mettre en place des plans de travail qui explicitent les mécanismes explicatifs répond à une exigence scientifique que nous trouvons chez plusieurs auteurs (voir Duyckaerts, 1972).

5.3 – La causalité

Les modèles de causalité véhiculés par les recherches centrées sur les facteurs sociofamiliaux sont généralement moins unilatéraux que ceux utilisés par les autres courants. Il semble en particulier que, dans la mesure où ce sont des complexes tels que l'éducation familiale ou le langage qui sont placés à l'origine des difficultés d'apprentissage de la lecture, les auteurs s'efforcent de prendre en considération simultanément différents aspects de ceux-ci, même si telle ou telle étude ne se consacre qu'à un aspect ponctuel.

Mais si les facteurs jugés responsables des difficultés d'apprentissage de la lecture apparaissent plus diversifiés dans les recherches inspirées par la conception du handicap socioculturel, il n'en demeure pas moins qu'elles ignorent tout autant que les autres la possibilité de comprendre les relations entre milieu social et difficultés d'apprentissage de la lecture autrement qu'en termes de causalité unidirectionnelle. Du constat d'une relation entre milieu social et lecture, on passe aisément à une imputation causale alors même que l'interprétation des résultats expérimentaux paraît moins que jamais devoir être univoque.

Il faut, en particulier, ici encore se rappeler la possibilité d'un « effet situation » sur lequel Labov (1970) a attiré l'attention, et que d'autres auteurs estiment jouer un rôle dans des

évaluations psychométriques (Tort, 1974) ou linguistiques (Dannequin, 1977).

A cette hypothèse, encore insuffisamment étudiée, on peut
rattacher l'expérience dans laquelle Covington (1967) constate
que, après répétitions de la présentation d'un matériel identique
à des groupes d'enfants sociologiquement contrastés, la différence initiale dans une tâche de reconnaissance disparaît entre
les deux groupes. Une telle expérience, par une méthode d'apprentissage réduite ici à sa plus simple expression — la familia-
risation — donne à penser que les résultats inférieurs qu'obtiennent les enfants de milieu défavorisé dans les situations
créées par le psychologue ne sont pas à attribuer d'emblée à un
déficit socialement déterminé mais peuvent être dus, au
moins en partie, à des facteurs situationnels.

5.4 – La conception du handicap socioculturel et les autres conceptions

Quelles que soient pourtant les insuffisances des dispositifs
de recherche tendant à démontrer que les facteurs sociofamiliaux
sont responsables des difficultés d'apprentissage de la lecture,
ce qui, plus encore, appelle à une attitude réservée vis-à-vis
de cette thèse, c'est d'abord la rareté des travaux scientifiques
qu'elle a inspirés.

Si l'on exempte en effet les multiples recherches qui montrent
que tel ou tel indicateur diffère d'un milieu à l'autre et, soit
s'en tiennent à ce constat, soit lui attribuent une valeur
causale, soit invoquent des mécanismes qu'elles ne vérifient pas,
la littérature est extrêmement réduite.

Les premières recherches mettant en relation simultanément
diverses variables de l'éducation familiale avec les résultats
obtenus dans l'apprentissage de la lecture viennent à peine
de voir le jour. Les études permettant de démontrer l'existence
d'un déficit origine socioculturelle sont plus rares encore. Elles
sont essentiellement centrées sur la question du langage mais,
ici aussi, on ne peut que noter l'absence d'expériences destinées
à démontrer sur le plan psycholinguistique la double relation du
milieu social sur le développement de la langue parlée et de la
langue parlée sur l'acquisition de la lecture.

Sur le plan sociolinguistique, les insuffisances langagières attribuées aux enfants de milieu populaire, le « handicap linguistique », et ses effets affirmés sur l'apprentissage de la lecture demeurent toujours à établir de manière empirique. L'hypothèse moins péjorative d' « interférences linguistiques » qui lui a succédé dans la littérature américaine n'a donné lieu à son tour qu'à un très petit nombre de recherches en bonne et due forme.

La faiblesse première de la thèse du handicap socioculturel appliquée aux difficultés d'apprentissage de la lecture est donc de ne pas disposer véritablement d'une base expérimentale. Ceci différencie la conception du handicap socioculturel des autres conceptions analysées jusqu'ici qui reposent sur de plus nombreuses recherches. A la différence de ces dernières la conception du handicap socioculturel est critiquable par ses manques avant de l'être par l'insuffisance de ses démonstrations.

Outre les critiques portant sur l'organisation des recherches et leur rareté, ce qui caractérise encore les travaux s'inscrivant dans ce cadre théorique c'est le démenti que leur infligent en général les recherches empiriques. On a noté à cet effet à quel point les incursions, encore très limitées, effectuées dans le domaine du climat familial par quelques recherches de langue française récentes, ou celles portant sur le rôle de la dimension familiale, ou celles qui évaluent l'hypothèse d'interférences linguistiques, apportent peu de résultats conformes aux attentes induites par la conception analysée. Ce trait également singularise ce secteur de recherches. L'accumulation de résultats contradictoires à la thèse énoncée paraît ici particulièrement importante.

Par le succès qu'elle rencontre en dépit de la minceur des arguments scientifiques permettant de la défendre, la conception du handicap socioculturel n'est pas sans évoquer celle de la dyslexie. On dispose en effet dans les deux cas, avec un décalage de quelques décennies, d'une conception explicative dont les succès d'opinion sont sans commune mesure avec les résultats objectifs permettant de la soutenir. La conception du handicap socioculturel semble, de ce point de vue, occuper aujourd'hui la place qui fut hier celle de la dyslexie.

Sur un autre plan pourtant cette conception demeure dans le prolongement des conceptions examinées plus haut. Dans la mesure en effet où elle part du principe que l'enfant, *antérieurement à toute expérience scolaire,* est porteur de déficits qui vont faire obstacle à son acquisition de lecture, elle ne fait que prolonger, sous une forme socialisée, le point de vue qui, des premières hypothèses organicistes aux hypothèses cognitivistes et aux hypothèses affectivistes, situe en l'enfant seul le lieu de ses difficultés.

Vue sous cet angle, la conception du handicap socioculturel ne diffère pas des autres conceptions. Sa marque propre est le type de facteurs auxquels elle fait appel : les insuffisances attribuées au milieu familial pour le développement de l'enfant, mais le présupposé défectologique fondamental demeure. Que l'origine des difficultés d'apprentissage de la lecture soit située dans des déficits physiologiques, cognitifs, des troubles affectifs ou dans le climat familial, les diverses positions examinées s'accordent sur le fait que la clé du problème ne se trouve que dans la personnalité de l'enfant au moment où il est astreint à un enseignement formel de la lecture.

6 | CONSÉQUENCES PROFESSIONNELLES

L'adoption de la position du handicap socioculturel peut conduire en milieu scolaire et clinique à des attitudes de résignation ou de passivité devant des facteurs jugés par les praticiens hors de leur atteinte. Elle peut conduire, inversement, à des attitudes militantes : les problèmes apparaissant dans ce cas ne pouvoir être résolus qu'à l'issue de changements sociaux eux-mêmes consécutifs à des changements politiques globaux. Le résultat est le même : la désertion du champ professionnel.

L'adoption de cette position conduit également à des interventions de nature pédagogique. Une solution partant du principe de l'existence de manques chez les enfants de milieu défavorisé est de tenter de combler ces manques par un apport particulier de l'école principalement à ces enfants. De là procèdent, au moins en partie, les expériences de pédagogie compensatoire préscolaire. Tel paraît être aussi, ou devrait être plus encore selon certains (Chiland, 1971, 237-238), le rôle de l'école maternelle en France.

Les résultats décourageants issus de ces expériences conduisent certains chercheurs à prolonger l'action entreprise au niveau préscolaire par des actions de compensation effectuées au niveau scolaire dans l'école primaire elle-même *(projet Follow Through)*. D'autres privilégient l'action auprès des familles (Pourtois, 1979, chap. v). D'autres enfin estiment préférable d'élargir l'action préscolaire au niveau de la famille, en amenant par exemple parents et maîtres à travailler de conserve au sein de projets concertés de coéducation (Clanet et Bataille, 1979).

Les travaux en cours, qu'ils soient centrés sur l'école, sur la famille, ou sur les deux, prennent la suite avec la méthodologie propre à la recherche-action (Barbier, 1977) des recherches antérieurement abordées en suivant la méthodologie analytique classique en psychologie de l'éducation.

Des travaux du courant mettant l'accent sur les facteurs sociofamiliaux dans le déterminisme des difficultés d'apprentissage de la lecture ressort qu'entre le milieu social de l'enfant et les problèmes qu'il rencontre pour apprendre à lire il existe une association étroite. La conception du handicap socioculturel n'apporte ni suffisamment de données, ni des données suffisamment solides, ni de réponses aux faits contradictoires pour pouvoir être jugée recevable.

Pour Berstein :

« Le concept d' « Education de Compensation » contribue à détourner l'attention de l'organisation interne et du contexte éducatif de l'école et à la diriger sur les familles et sur les enfants » (Bernstein, 1975, 152).

C'est donc vers une conception qui se détourne de l'enfant et de sa famille pour centrer son attention sur les facteurs pédagogiques que nous nous orientons maintenant.

CHAPITRE V

La mise en question
de l'école

1 | LE CONTEXTE

L'attitude consistant à attribuer l'origine des difficultés d'apprentissage de la lecture non pas à l'enfant lui-même mais à l'institution chargée de lui apprendre à lire, l'école, n'est pas nouvelle.

La vigueur des débats qui, dans la première moitié de ce siècle, ont opposé les tenants de la méthode globale à ceux de la méthode analytico-synthétique est encore dans toutes les mémoires. On trouve également au Panthéon de la pédagogie quelques grands noms comme Dewey ou Montessori dont les mises en cause impitoyables de l'institution scolaire disent de quel poids ils jugent qu'elle pèse dans les difficultés des enfants (voir Chateau, 1956). Il suffit de songer enfin à l'activité critique inlassable que développent les mouvements pédagogiques comme l'ICEM ou le GFEN pour reconnaître qu'existe au sein de l'école, et de longue date, un courant aux formes multiples pour lequel la source du problème se trouve dans l'institution scolaire et non pas dans l'enfant.

En ce qui concerne le contexte récent, l'histoire des idées mettra sans doute en relation le renouveau de la mise en question de l'école et les événements qui ont affecté la société contemporaine.

Dans le cas de la France, on peut évoquer la contestation

de l'école comme partie de la constitution générale des institutions de la société française en mai 1968. Les observateurs de la scène américaine (Downing, 1979 *b* ; Little et Smith, 1971) voient pour leur part dans les fabuleux budgets attribués aux projets de pédagogie compensatoire un investissement éducatif venant en réponse au choc éprouvé par les Américains après les premiers succès des Soviétiques dans l'espace. La relation entre le mouvement du *Black Power* et des minorités américaines en général, et l'attribution à l'école des difficultés à apprendre à lire que rencontrent les enfants issus de ces minorités est également transparente (Jobert, 1978).

Les luttes féministes à leur tour retentissent dans la mise en question de l'école, qu'elles prennent forme d'une dénonciation de la négligence du facteur sexe dans les études consacrées en France à l'échec scolaire (Liliane, 1974) ou, dans le monde anglo-saxon, de la manière d'aborder les difficultés d'apprentissage de la lecture en fonction du sexe (Dwyer, 1973, 1974, 1976).

Sur un plan plus général, il semble que la brève période qui couvre la fin des années soixante et le début des années soixante-dix constitue, tant en France qu'aux Etats-Unis, le moment culminant de publication des ouvrages qui, comme celui d'Illich, *Une société sans école* (1972) au niveau international, ou du GFEN, *L'échec scolaire, doué ou non doué ?* (1974) au niveau national, mettent en cause la responsabilité de l'école dans les difficultés d'apprentissage des enfants.

De ces nombreuses critiques il ne s'agit pas ici de faire le recensement, la plupart d'entre elles n'ayant d'ailleurs pas donné lieu à une approche objective permettant leur examen dans le cadre de ce travail, mais d'examiner les recherches consacrées aux variables scolaires susceptibles de mettre en cause la responsabilité de l'école dans les résultats obtenus par les enfants dans l'apprentissage de la lecture.

2 | LES MÉTHODES DE LECTURE

Parmi les variables scolaires susceptibles d'avoir un effet sur les résultats obtenus par les enfants dans l'apprentissage de la lecture, la méthode de lecture est sans doute celle qui suscite le plus de débats d'opinion. Les études visant à évaluer les effets objectifs de ces méthodes présentent de ce fait un intérêt spécial.

De ce contexte polémique provient assurément cette particularité méthodologique que les études réalisées prennent immanquablement la forme de comparaisons entre deux ou plus de deux méthodes. La question plus ou moins sous-jacente est alors de savoir si telle ou telle méthode est ou non supérieure à telle ou telle autre. Notre propos ici est différent, il est de savoir si la méthode de lecture joue effectivement un rôle dans les difficultés d'apprentissage de la lecture. A cette question préalable on trouve des réponses différentes. Si pour certains la méthode est assurément la variable principale, elle est pour d'autres secondaire. La question de savoir si la méthode de lecture joue un rôle demande donc d'être examinée.

La difficulté que l'on rencontre à effectuer cet examen est celle de la définition de la notion même de « méthode de lecture ». Il apparaît en effet que, selon les auteurs, ce qui est entendu par là peut aller de la désignation d'un manuel de lecture déterminé à celle de l'ensemble des pratiques pédagogiques mises en œuvre dans la situation scolaire.

A ceci s'ajoute le fait que, même dans son acception la plus restreinte, la description d'une méthode de lecture n'est guère chose aisée. Une méthode de lecture est moins une variable élémentaire qu'un complexe de variables difficiles à identifier et à dissocier. Les tentatives récentes d'analyse des méthodes en usage dans le cadre francophone (ministère de l'Education, 1980, 9 ; Weiss, 1980, chap. III) montrent le caractère polydimensionnel de ce qui est traité comme unidimensionnel. C'est donc en pleine conscience de cette difficulté que nous considérons comme « méthode » ce que les différentes recherches analysées considèrent comme telle.

La seconde difficulté résulte de la nature strictement comparative des données disponibles. Pour répondre à la question posée, nous eussions préféré disposer de recherches évaluant simultanément l'effet de diverses variables, dont l'une appelée « méthode de lecture ». En l'absence de recherches de ce type, nous prendrons comme règle de décision d'admettre que toute

différence attestée dans une recherche comparative témoigne
d'un effet de la méthode sur les résultats obtenus par les enfants
et permet donc de répondre indirectement à la question posée.

2.1 – Recherches internationales

Une des recherches les plus vastes est celle que Gray (1956) a,
sous le patronage de l'Unesco, réalisée dans 45 pays. Ses conclusions indiquent notamment que nulle méthode n'apparaît
avoir une supériorité universelle, que les effets d'une méthode
varient selon les élèves, et que de nombreuses autres variables
sont à prendre en considération. L'étude comparative de Downing (1973) ne dément pas ces conclusions.

2.2 – Recherches anglophones

Dans le monde anglophone le livre dans lequel Chall (1967)
oppose les méthodes analytico-synthétiques aux méthodes globales est une référence obligée en ce domaine.

L'étude empirique à grande échelle qui est publiée au même
moment par Bond et Dykstra (1967) fournit nombre de données
qui permettent d'alimenter le débat.

Le travail de Bond et Dykstra consiste en la coordination
de 27 recherches comparatives portant sur les méthodes de lecture en première année et concerne donc des dizaines de classes
et des milliers d'élèves. Chaque recherche consiste en une comparaison entre un groupe de classes expérimentales utilisant une
méthode de lecture considérée par ses promoteurs comme particulièrement bénéfique pour les élèves, et un groupe de classes
témoin utilisant une méthode traditionnelle à base de manuel
analytico-synthétique.

Les 27 études se ramènent en fait à cinq grandes méthodes :
méthode traditionnelle, méthode traditionnelle renforcée de
phonétique, méthode utilisant l'ITA[1], méthode linguistique,
méthode fondée sur l'expérience de la langue[2], méthode pho-
nétique/linguistique. Les tests utilisés en fin de première année

---

1. ITA : *Initial Teaching Alphabet.* Il s'agit d'un alphabet transitoire d'enseignement qui, à l'aide de 44 caractères, propose une correspondance grapho-phonétique en anglais de type 1/1.
2. Son meilleur équivalent français est « la méthode naturelle » de Freinet.

ainsi que les méthodes de traitement statistique (analyses de variance et de covariance) sont appliqués de manière aussi homogène que possible à toutes les classes. Chacune des comparaisons entre une méthode expérimentée et la méthode témoin fait apparaître une supériorité de la méthode expérimentée quand la variable dépendante est la lecture de mots. Quand les mesures portent sur la compréhension, l'orthographe, la vitesse ou les correspondances graphies-phonies, les différences sont moins constantes.

Nulle méthode n'apparaît par ailleurs supérieure aux autres, ni convenir davantage à telle ou telle catégorie d'élèves (selon leurs résultats en prélecture, ou selon leur sexe). La poursuite de cette recherche sur une partie de la population en deuxième année (Dykstra, 1968) indique que les méthodes ITA, phonétique/linguistique et expérience de la langue conduisent à nouveau à une meilleure identification des mots et, également, à des résultats supérieurs en orthographe. La méthode traditionnelle renforcée de phonétique ne diffère pas sous ces critères, de la méthode traditionnelle qui sert de méthode témoin.

La conclusion selon laquelle les diverses méthodes expérimentées, au moins pour certaines tâches, sont supérieures à la méthode traditionnelle, paraît donc s'imposer et plaider en faveur d'un effet méthode. Guthrie et Tyler (1978, 65-67) contestent pourtant cette conclusion. Partisans à l'évidence des méthodes analytico-synthétiques, ils réanalysent les données de Bond et Dykstra (1967), ne retenant que certaines épreuves et certains traitements statistiques. Cette sélection met alors en évidence que la lecture de mots est mieux réussie avec la méthode traditionnelle qu'avec celle fondée sur l'expérience de la langue et que les deux méthodes ne différencient pas les enfants dans la compréhension d'un paragraphe.

Que l'on adopte les conclusions de Bond et Dykstra (1967) ou de Guthrie et Tyler (1978), l'important pour notre propos est qu'il existe dans des conditions définies des différences dans les résultats obtenus par les enfants suivant la méthode de lecture employée.

L'important travail de Pflaum, Walberg, Karegianes et Rasher (1980) constitue le dernier état de la question dans le monde anglophone. Il s'agit d'une revue de questions quantita-

tive semblable, pour l'enseignement de la lecture, à celle de
Hammill et McNutt (1980) pour la connaissance de la langue
parlée et l'acquisition de la langue écrite.

Le traitement effectué porte sur 97 recherches relatives
à ce problème. Celles-ci comportent 341 comparaisons. Ceci
constitue un échantillon au hasard égal à 15 % de la population
totale des 665 recherches publiées entre 1965 et 1977-1978.
Les auteurs constituent 30 catégories de méthodes. Chaque
catégorie comporte un nombre variable de recherches. Parmi
ces catégories, constituées suivant le critère d'un de leurs
aspects les plus importants, on trouve par exemple, outre
les catégories déjà évoquées à propos d'autres auteurs : lecture individualisée de livres, développement du vocabulaire
significatif, exercice de la syntaxe, tutorat, conseil, écoute,
travail de groupe. Toutes les recherches prises en compte
comportent un groupe témoin utilisant une méthode traditionnelle.

L'analyse des résultats fait apparaître que dans 73 des
97 recherches, soit trois quarts des cas environ, les groupes expérimentaux obtiennent de meilleurs résultats en lecture que les
groupes témoins, ce qui est très significatif. Le calcul basé sur
une pondération des différences entre les groupes conclut de la
même façon.

Si l'on compare alors les résultats méthode par méthode,
le calcul montre que, de manière générale, il n'existe pas de
différence. Il n'apparaît de différence entre groupe expérimental et groupe témoin que dans un cas seulement, celui des cinq
recherches qui mettent en œuvre une méthode purement synthétique, sans analyse des mots.

De ces résultats les auteurs concluent à l'avantage des
méthodes nouvelles sur les méthodes traditionnelles et pensent
que ceci résulte sans doute de la focalisation opérée sur la
lecture.

2.3 – Recherches francophones

Dans le domaine francophone les études réalisées, bien
moins nombreuses, répondent au même type de préoccupation
et utilisent également un dispositif comparatif.

Une des premières recherches est celle de Merlet et Simon (1959) qui porte sur trois méthodes. Weiss (1980, 87-89) rapporte les conclusions d'études comparatives effectuées ultérieurement au Canada français par Roy (1969) sur les méthodes « Dynamique »[3] et « Le Sablier », puis les deux précédentes et « La Spontanée »[4] par Villeneuve-Vachon et Vachon (1970). Les résultats montrent que l'effet de ces méthodes varie selon le critère utilisé (décodage, vocabulaire, compréhension, orthographe) et/ou le type d'enfants (« immatures » ou non).

Dehant (1968) effectue en Belgique un travail du même ordre en comparant des méthodes synthétiques, analytiques et mixtes.

A une association psychopédagogique, l'ADOPSED (1971) revient une comparaison effectuée dans l'est de la France entre « Le Sablier » et les méthodes traditionnelles et portant sur 185 enfants de CP. Les résultats amènent à penser que, si les méthodes traditionnelles sont supérieures en mars, cet avantage disparaît en fin d'année, et que l'observation poursuivie en CE1 serait à l'avantage de la méthode « Le Sablier ».

L'étude la plus importante en langue française est sans doute celle réalisée sur la population du canton de Neuchâtel par Cardinet et Weiss (1976) dans le cadre de l'Institut romand de Recherches et Documentation pédagogiques. On trouve dans Weiss (1980, chap. III et IV) un résumé de celle-ci par les auteurs.

La recherche porte sur la totalité des classes de première année du canton de Neuchâtel, soit 117 classes et 2 242 élèves. Les auteurs ont cherché à contrôler par des moyens statistiques les différences inter-élèves et les différences d'expérience inter-maîtres.

Cardinet et Weiss opposent « les méthodes au sens large » (Le Sablier, Rémi et Colette, etc.) et « les méthodes réellement pratiquées ». Celles-ci, après analyse des réponses fournies par les institutrices sur leurs pratiques pédagogiques, apparaissent au nombre de quatre : « approche écrite », « approche orale », « approche large », « approche concentrée ».

---

3. Méthode d'approche globale.
4. Méthode d'approche phonétique.

Cardinet et Weiss (1980, 148-149) définissent ainsi les quatre approches :

« 1. *Approche écrite :*
— renforcement systématique des associations lettres-sons ;
— allure rapide de l'enseignement ;
— équipement peu abondant ;
— exercisation non systématique des prérequis.

« 2. *Approche orale.* — Cette approche est l'opposée de la précédente :
— renforcement non systématique des associations lettres-sons ;
— allure lente de l'enseignement ;
— équipement abondant ;
— exercisation systématique des prérequis.

« 3. *Approche large :*
— niveau élevé des objectifs : raisonnement, créativité, expression, intérêt pour la lecture ; la lecture est considérée comme un *moyen* d'atteindre des objectifs intellectuels et culturels divers et élevés ;
— exercices abondants et variés ;
— enrichissement systématique, expression, vocabulaire, grammaire, orthographe.

« 4. *Approche concentrée.* — Cette approche est l'opposée de la précédente :
— niveau peu élevé des objectifs ; la lecture est considérée comme ayant sa *fin* en elle-même ;
— exercices peu abondants et stéréotypés ;
— enrichissement non systématique. »

Les effets de ces approches sont étudiés par les réponses fournies à de nombreuses épreuves passées par les élèves en cours et en fin de première et deuxième année.

Les résultats diffèrent suivant le critère mesuré (tests de lecture globale, analytique, d'aptitude, questionnaire d'attitude face à la lecture) et les objectifs atteints (savoir décoder, savoir comprendre un texte écrit, savoir élaborer, pouvoir se cultiver) et le moment de la mesure. On notera simplement qu'en deuxième année, au début, au milieu ou à la fin et quel que soit le critère évalué (décodage ou compréhension), l'approche large a toujours un effet supérieur à celui de l'approche concentrée, alors que la comparaison des approches écrites et orale donne des résultats plus irréguliers.

A la question de savoir si la méthode de lecture joue un rôle dans les résultats obtenus par les enfants il semble possible de répondre par l'affirmative, prenant acte du fait que les

recherches comparatives effectuées consistant le plus souvent
à comparer une méthode nouvelle à une méthode traditionnelle
concluent à l'existence de différences en faveur de la première.
Sans aller jusqu'à déclarer comme Foucambert qu'
« une expérience de ce genre réussit toujours » (1974, 52),
car dans l'évaluation la plus large, celle de Pflaum *et al.* (1980),
on a vu que 25 % d'expériences de ce type échouent, il n'en
demeure pas moins vrai que le constat répété des différences
amène à supposer que la méthode de lecture est un facteur non
négligeable.

3 | LES MÉTHODES PÉDAGOGIQUES

Certains auteurs s'efforcent d'évaluer les effets éventuels
de la vie scolaire sur les résultats en lecture des enfants en
élargissant la perspective : plutôt qu'à la méthode de lecture,
ils s'intéressent alors à la méthode pédagogique d'ensemble
qui est mise en œuvre dans la classe.

Les travaux dont on dispose à ce sujet opposent presque
toujours deux types de méthodes pédagogiques. L'un qualifié
par des Anglo-Saxons de « traditionnel » ou « formel » et l'autre
dit « ouvert » ou « informel ». Ce dernier correspond dans la
communauté francophone au courant des pédagogies « moderne »,
« nouvelle », « active » ou « non directive ». La pédagogie Freinet
est l'exemple le plus connu.

Suivant Groobman, Forward et Peterson (1976), la pédagogie
active met l'accent sur *1* / l'individualisation du programme ;
2 / le recours aux motivations intrinsèques ; *3* / l'apprentissage
coopératif ; *4* / la transformation du rôle du maître en celui
d'une « personne-ressource » ; *5* / l'utilisation du jeu dans
l'apprentissage. Les acquisitions scolaires apparaissent dès lors
comme un des bénéfices résultant des activités effectuées dans
ce climat éducatif plutôt que comme des objectifs prioritaires
visés directement.

Harris considère pour sa part que :

« Les programmes d'éducation formelle sont centrés sur le maître ;
le maître planifie la séquence éducative et la dirige pas à pas. Les

programmes d'éducation informelle ont tendance à être centrés sur
l'apprenant et à mettre l'accent sur la recherche et les choix de l'apprenant, le maître fonctionnant comme un aide, une personne-ressource »
(1979 b, 135).

Les recherches objectives consacrées à cette question sont
récentes. Elles visent à apporter des faits permettant de
voir quelle réalité correspond aux affirmations des partisans
et des détracteurs de telle ou telle méthode afin d'apporter
aux débats une information objective ou de fournir des arguments à un des camps en présence. Dans la mesure où nous nous
préoccupons d'identifier les variables scolaires susceptibles de
rendre compte des difficultés d'apprentissage de la lecture,
s'il s'avère que les méthodes pédagogiques actives obtiennent
des résultats supérieurs aux méthodes traditionnelles, on pourra
en déduire que celles-ci jouent un rôle dans le déterminisme
des difficultés d'apprentissage de la lecture.

Les auteurs anglo-saxons opérationnalisent ces différences
de méthode pédagogique à l'aide d'instruments spécifiquement
conçus à cet effet. Ceux-ci permettent d'obtenir une évaluation
objective et quantifiée de la méthode pédagogique employée
dans une classe donnée.

Ward et Barcher (1975) par exemple utilisent un questionnaire de 28 items qui est rempli par le maître. 10 dimensions
sont prises en considération : les objectifs éducatifs, le matériel et les activités, l'environnement physique, la structure
de prise de décisions, l'emploi du temps, l'individualisation de
l'enseignement, la composition de la classe, le rôle du maître,
l'évaluation de l'élève et le contrôle de l'élève. On s'est assuré
de la fidélité et de la validité prédictive de ce questionnaire.

. D'autres chercheurs utilisent plutôt un instrument reposant
sur l'observation de la classe par des évaluateurs compétents.
Walberg et Thomas (1972) ont mis au point un instrument
qui prend en compte huit dimensions. Il est utilisé dans de
nombreuses recherches.

Solomon, Parelius et Busse (1969) se servent, dans les
mêmes conditions, d'échelles en six points, qui sont remplies
après observation de la classe. On y trouve des items comme :

— « les élèves parlent librement — les élèves ne s'adressent qu'au
   maître » ;

— « les enfants ne sont pas impliqués dans les activités scolaires — les enfants sont fortement impliqués dans les activités scolaires » ;
— « la salle de classe comporte beaucoup de stimuli — la salle de classe est dépourvue de stimuli ».

Les premières recherches ont été effectuées par Gardner (1950) en Grande-Bretagne. Comparant les résultats en lecture d'enfants scolarisés dans des classes traditionnelles et dans des classes actives, elles concluent à la supériorité de ces dernières. Dans une publication ultérieure Gardner (1966) précise des résultats en fonction du niveau scolaire : au niveau des *Infant Schools* (5-7-ans) les résultats sont supérieurs dans les classes traditionnelles, mais au niveau des *Junior Schools* (7-11 ans) les classes actives obtiennent les meilleurs résultats.

Des tests appliqués par Warburton (1964) à des élèves âgés de 14 ans ressort également une conclusion favorable aux écoles nouvelles, du fait d'une meilleure compréhension et de retards moins nombreux en lecture.

Les trois classes nouvelles new-yorkaises de deuxième année auxquelles Schneir et Schneir (1972) font passer le *Metropolitan Achievement Test* obtiennent toutes les trois des moyennes supérieures aux normes nationales de ce test. Mieux encore, 17 des 38 enfants noirs ou bilingues des classes nouvelles ont des résultats égaux ou supérieurs à ces normes, ce qui n'est le cas que pour 4 des 33 enfants noirs ou bilingues des classes traditionnelles examinées par ailleurs.

Les autres recherches publiées sur cette question ne s'estiment pas en mesure d'affirmer la supériorité de la pédagogie active, voire concluent en faveur des méthodes traditionnelles.

Morris (1959), dans sa recherche sur des enfants de 7 à 11 ans, considère que les meilleurs résultats en lecture proviennent de classes traditionnelles et, plus précisément, de l'utilisation d'une méthode de lecture analytico-synthétique. C'est également l'avis de Chall (1967).

Cane et Smither (1971) retirent de leur étude sur 12 *Infant Schools* (5-7 ans) de milieu défavorisé que rien ne permet d'affirmer que les enfants apprennent mieux à lire dans les écoles nouvelles. Les écoles à fort taux d'échec se caractérisent selon eux par un manque d'enseignement méthodique, une négligence des correspondances grapho-phonétiques, une insuffisance de moments de lecture, et le fait de différer l'enseignement de la lecture jusqu'à ce que l'enfant en manifeste le désir. Solomon et Kendall (1976, 613) énumèrent 11 travaux concernant l'effet des pédagogies traditionnelle et moderne sur les résultats dans des épreuves standardisées de lecture. Ils estiment que les résultats obtenus ne permettent pas de conclure à ce propos. Leur propre recherche, portant sur trois classes de chaque catégorie, au niveau de la quatrième année d'école primaire, conclut à une supériorité des classes traditionnelles.

Ward et Barcher (1975) citent deux recherches de Tuckman, Cochran et Travers (1973) et de Trotta (1973) dans lesquelles nulle différence en lecture entre les deux types de classes n'apparaît clairement.

L'investigation empirique de Ward et Barcher (1975) est remarquable par le souci de contrôle des variables dont elle témoigne. 49 enfants de deuxième, troisième et quatrième année de classes nouvelles sont comparés à 49 enfants de classes traditionnelles qui leur sont appariés par le QI, le milieu social, le sexe, l'âge et le niveau scolaire. Les enfants à QI élevé obtiennent des résultats significativement supérieurs dans les classes traditionnelles, alors que les enfants à QI faible obtiennent des résultats semblables dans les deux types de classes.

Groobman, Forward et Peterson (1976) ne trouvent pas de différence non pas en lecture mais dans les productions écrites d'élèves de sixième année de trois classes nouvelles et de trois classes traditionnelles.

Bennett (1977) conduit en Grande-Bretagne une recherche portant sur 37 enseignants et 954 enfants de quatrième année. Les enseignants sont répartis en trois groupes : pédagogie traditionnelle, nouvelle ou mixte. L'évaluation de la lecture faite en fin d'année à l'aide de plusieurs tests montre que les enfants ayant suivi une pédagogie traditionnelle ou mixte ont trois à cinq mois d'avance sur les autres. Mais Divorsky (1977) met en doute la validité de cette conclusion en l'absence d'appariement entre les élèves des diverses pédagogies. Le fait par exemple que les élèves des classes traditionnelles aient obtenu de meilleurs résultats dans les prétests n'a pas été pris en considération.

L'expérience de Pine (1978) porte sur 12 classes de première année du New Hampshire et du Maine, 6 traditionnelles et 6 actives, et 257 enfants au total. Les enseignants sont appariés sur la base de l'âge et de l'expérience. Les deux groupes d'enfants sont équivalents en âge, sexe et QI. Les résultats sont plutôt favorables à la pédagogie active. On observe, en effet, que quand le facteur prélecture ou le facteur concept de soi évalué en début d'année est maintenu constant il existe une légère tendance des classes nouvelles à avoir des résultats supérieurs. Cette tendance n'est toutefois pas statistiquement significative. Les bénéfices de la pédagogie nouvelle sur le concept de soi évalué en fin d'année sont beaucoup plus nets.

Les recherches objectives réalisées dans le domaine francophone sont peu nombreuses et également récentes, mais elles ne concernent que partiellement la lecture.

Dans le cadre d'une étude longitudinale consacrée par Avanzini et Ferrero (1976-1977) à l'effet comparé des méthodes Freinet et des méthodes traditionnelles, les auteurs indiquent simplement que, pour une population d'environ 100 élèves, nulle différence n'apparaît en lecture en CM1 entre les deux pédagogies.

Foucambert (1979) compare quatre types d'organisation scolaire : groupe de niveau, soutien individuel, organisation traditionnelle et écoles qui font « autre chose ». Les formes non traditionnelles permettent de meilleures acquisitions mais on retrouve dans toutes une hiérarchie qui reflète le milieu social de l'enfant, quoique moins affirmée dans les classes traditionnelles.

Signalons également que l'Unité de Recherches français premier degré que dirige H. Romian à l'INRP publie actuellement un *Essai d'évaluation des effets d'une pédagogie du français* en cinq volumes dont deux sont parus (Principaud, 1979 ; Romian et Lafond, 1981). La recherche, effectuée en 1972, compare trois pédagogies du français, l'une inspirée du Plan de Rénovation INRP (25 classes), l'autre référée aux Instructions officielles en vigueur (23 classes) et la troisième représentée par la pédagogie Freinet (8 classes). Elle utilise des questionnaires remplis par les maîtres et des épreuves passées par des élèves de CM. Ses résultats ne se veulent pas généralisables. Dans les volumes actuellement publiés on trouve peu d'informations sur la question précise de la lecture.

De ces travaux comparant pédagogie traditionnelle et pédagogie moderne nulle conclusion claire ne peut être tirée. C'est l'avis de la plupart des auteurs ayant examiné cette question.

Les recherches, qui se sont surtout développées au cours des années soixante-dix, demeurent peu nombreuses, et faute de méthodologie homogène, difficiles à comparer.

Sur la base des publications les plus récentes, les plus rigoureuses sur le plan méthodologique, il paraît toutefois difficile de maintenir l'idée, qui est souvent à l'origine de ces travaux, que les méthodes modernes permettent aux enfants d'obtenir de meilleurs résultats en lecture ou, dans une formulation plus directe, que les méthodes pédagogiques traditionnelles sont responsables des difficultés d'apprentissage de la lecture. Il ne nous paraît néanmoins pas possible d'affirmer à l'opposé, comme le voudrait par exemple Harris (1979 *b*) que les méthodes traditionnelles produisent des acquisitions supérieures. En l'état actuel des recherches, toute position unilatérale paraît prématurée, étant dans l'incapacité de rendre compte simultanément de l'ensemble des résultats publiés.

Devant cette difficulté à établir la supériorité des méthodes modernes, trois attitudes peuvent être adoptées. La première maintient intacte l'hypothèse initiale et place son espoir de vérification dans des perfectionnements méthodologiques (Ward et Barcher, 1975 ; Solomon et Kendall, 1976).

La seconde attitude met en doute le bien-fondé de la question telle que posée. Dans la mesure en effet où la pédagogie traditionnelle vise prioritairement les acquisitions académiques alors que la pédagogie moderne s'intéresse avant tout au développement harmonieux de l'enfant, il est vain de demander à la seconde d'atteindre mieux ou plus vite que la première les objectifs de celle-ci. La comparaison des deux pédagogies n'a de sens que si elle prend également en compte d'autres aspects, ceux que valorise la pédagogie nouvelle.

De fait on observe que sur des dimensions non académiques les résultats apparaissent généralement favorables à la pédagogie moderne. Il en est ainsi par exemple pour la créativité, tant en France (Avanzini et Ferrero, 1976-1977) que dans le domaine anglophone (Solomon et Kendall, 1976, 613), pour l'attitude envers l'école ou les enseignants, ou pour le transfert des connaissances acquises à l'école à des situations extrascolaires (Groobman *et al.*, 1976).

La troisième attitude semble préférer à une comparaison globale entre deux pédagogies une analyse plus fine des pratiques pédagogiques qu'elles mettent en œuvre. La comparaison qu'effectue Rogers (1976) entre les recherches de Staton (1974) et de Weiner (1973) constitue un premier pas dans cette direction. Quel que soit toutefois l'avenir de ces recherches, celles-ci, en leur état actuel, ne permettent pas de considérer que les méthodes traditionnelles soient jugées responsables des difficultés rencontrées par les enfants dans l'apprentissage de la lecture.

4 | LES COMPORTEMENTS PÉDAGOGIQUES

La littérature qui estime que les facteurs responsables des difficultés d'apprentissage de la lecture se trouvent au sein de l'école s'est enrichie récemment d'un ensemble de recherches consacrées aux comportements des maîtres en classe pendant les activités de lecture, en relation avec les résultats obtenus par les enfants dans l'apprentissage de la lecture.

Ces recherches se proposent de mettre en évidence les comportements pédagogiques efficaces. Contrairement donc aux auteurs adoptant le visage neutre des études comparatives ou à la tradition consistant à partir des erreurs ou des cas d'échec, la démarche consiste ici, suivant une attitude positive originale, à isoler dans les pratiques pédagogiques celles qui sont corrélées avec la réussite des enfants en lecture. C'est donc secondairement, par une sorte d'inversion des variables, que les facteurs pédagogiques responsables des difficultés d'apprentissage de la lecture pourraient être définis.

L'adoption de ce mode d'approche résulte chez certains auteurs des espoirs déçus placés dans l'étude des méthodes de lecture et répond à la demande d'auteurs ayant effectué des recherches consistant à comparer des méthodes de lecture (Artley, 1969 ; Bond et Dykstra, 1967 ; Harris et Morrisson, 1969 ; Ramsay, 1962).

Harris (1979), Rosenshine et Berliner (1978) et Taylor (1981) ont effectué des revues de travaux consacrés à cette question de l'efficacité pédagogique en matière de lecture. La plupart des publications citées sont des rapports techniques

de laboratoires américains qu'il est difficile de se procurer.
Nous nous appuierons donc principalement dans ce qui suit sur
les revues de questions indiquées, et particulièrement sur celle
de Rosenshine et Berliner dont les auteurs participent activement à ce courant de recherches. Nous compléterons chaque
fois que possible l'énoncé de ces recherches anglo-saxonnes
d'une référence aux travaux de langue française dont nous
avons connaissance.

Rosenshine et Berliner distinguent une première catégorie
d'analyse qui regroupe les comportements fournisseurs d' « occasions d'apprentissage ». L'importance quantitative de ces occasions peut être évaluée par le contenu couvert. Les auteurs
rapportent de nombreuses recherches ayant utilisé des moyens
variés : examen des livres utilisés, comptage du nombre de
mots que le maître a tenté d'enseigner, etc.

Toutes les études rapportées, à une exception près, indiquent une relation significative entre le nombre d'occasions
d'apprentissage ainsi évalué et le degré de réussite des enfants
en lecture. Rosenshine et Berliner font remarquer que ce type
de variables est généralement négligé dans les recherches effectuées en classe et qu'en particulier il est absent de la grille très
utilisée de Flanders (1970).

L'attention des élèves, dans la mesure où les variables
d'une classe à l'autre amènent à penser qu'elle dépend au moins
en partie des comportements des maîtres, est très liée aux
résultats de lecture. C'est ce qui apparaît, à une exception près,
dans les quinze études examinées par Bloom (1976).

Le « temps d'apprentissage scolaire » est un concept proposé
par Rosenshine et Berliner (1978, 6) comme une autre caractéristique qui dépend des comportements pédagogiques du maître.
Il s'agit ici du temps de travail effectif et non pas du temps
officiel qu'un élève consacre à une tâche scolaire de difficulté
moyenne.

Bien des études consacrées à l'attention peuvent donc entrer
dans ce cadre. Le concept inclut également les occasions d'apprentissage. Les corrélations observées entre les résultats scolaires et cette variable sont plus élevées qu'avec celles obtenues
pour n'importe quelle autre variable du maître ou de l'élève.

Rosenshine et Berliner pensent que les contradictions des
études comparant méthodes traditionnelles et méthodes nou-

velles pourraient s'expliquer par l'absence de contrôle de cette variable car dans les classes nouvelles où le temps effectif d'apprentissage est élevé les résultats sont bons. Guthrie et Tyler (1978) mettent également l'accent sur cette variable dans leur revue de travaux. L'évaluation d'un tel facteur, appelé ALPECLE (Activité Laborieuse Personnelle d'un Ecolier en Contact visuel avec la Langue Ecrite), constitue également la base de la recherche d'Inizan (1976).

Le second concept synthétique que proposent Rosenshine et Berliner est celui d' « enseignement directif » :

> « Dans l'enseignement directif le maître *contrôle* les buts éducatifs, *choisit* le matériel qui convient au niveau de l'élève, et *règle le rythme* du travail » (1978, 7).

Le concept d'enseignement directif recouvre les questions de la centration sur le savoir, la directivité du maître, le travail de groupe, le choix des activités, les interactions verbales, le travail personnel et le climat.

L'importance de la centration sur le savoir apparaît dans la référence faite à la recherche de Stallings et Kaskowitz (1974) qui porte sur 100 enfants de première année et 50 de troisième année. Celle-ci établit une dichotomie très tranchée entre les activités centrées sur le savoir (utilisation de textes, de livres de classe, de matériaux d'enseignement, etc.) et les autres (histoires, travaux manuels, jeux éducatifs, puzzle, etc.). Il apparaît en effet que les premières sont toujours en corrélation positive avec les résultats en lecture et que les autres sont toujours en corrélation négative avec ceux-ci.

Brophy et Evertson (1974) concluent également que les enseignants qui réussissent sont ceux qui sont « déterminés à ce que leurs élèves apprennent ». A l'appui de cette position, Rosenshire et Berliner citent également les maîtres des classes actives analysées par Bennett (1977).

Plusieurs recherches empiriques établissent également que les maîtres directifs sont plus efficaces.

En ce qui concerne le travail de groupe, Stallings et Kaskowitz (1974) trouvent que les résultats en lecture et le temps que passe le maître à travailler avec un ou deux enfants sont en corrélation négative, mais positive quand il travaille avec des groupes de 3 à 7 élèves. De même, les classes où existent de nombreuses activités concurrentes ont de faibles résultats. Ces données convergent avec celles de Soar (1973) pour qui le travail de groupe est efficace s'il est supervisé par un adulte, mais inefficace dans le cas contraire. Il semblerait donc que pour qu'il y ait travail effectif des élèves il faille que l'organisation de la classe permette une supervision suffisante du maître.

Les recherches de Soar (1973) ainsi que de Stallings et Kasnowitz (1974), qui portent sur des enfants de milieu défavorisé, indiquent également que les classes où les enfants sont les plus libres de choisir leurs activités sont celles où le temps effectif d'apprentissage est le plus bref et les résultats les plus mauvais. Solomon et Kendall (1976) trouvent le même type de relation avec une population d'enfants de classe moyenne, mais font remarquer qu'il ne faut pas poser le problème en termes d' « activités contrôlées par le maître » ou « par l'élève », mais en termes d' « activités contrôlées par le maître » ou « incontrôlées ». Ils observent en effet que dans les classes à choix libre les corrélations sont négatives non seulement avec les résultats en lecture mais aussi avec ceux obtenus en créativité, recherche, écriture et estime de soi, ce qui ne serait pas le cas s'il y avait contrôle de l'élève.

Il existe une relation entre le nombre d'interactions verbales qu'un élève a avec le maître et les résultats qu'il obtient en lecture. A un nombre faible d'interactions correspondent des résultats également faibles, comme l'ont montré les travaux du CRESAS (Pardo, Duchein et Breton, 1974 ; Breton, Belmont-André et Ballion, 1978). D'autres recherches du CRESAS font apparaître que cette structure est en place dès l'école maternelle (Vasquez, Stambak et Seydoux, 1978).

Si l'on examine maintenant ces interactions dans une perspective différentielle, il apparaît qu'elles sont plus rares pour les enfants de milieu défavorisé, les garçons et les mauvais élèves (Good et Brophy, 1971). Les chercheurs du CRESAS ont retrouvé en France ces corrélations entre interactions milieu social et résultats en lecture (Pardo *et al.*, 1974 ; Breton *et al.*, 1978). Albert, Gironell et Palacios (1981)[5] ont établi par ailleurs que les réactions des maîtres de CP lors d'une erreur de l'enfant en lecture orale sont différentes selon que l'enfant est ou non

---

5. Travail effectué à l'Université Toulouse-Le Mirail sous notre direction.

considéré comme un bon élève, mais ne sont pas statistiquement significatives selon le sexe de l'enfant bien qu'il existe une tendance du maître à apporter davantage d'aide aux filles qu'aux garçons. Ces données, qui vont dans le sens des enfants de haute probabilité d'échec, peuvent donc être considérées comme des indicateurs des facteurs scolaires de ces difficultés.

A examiner les interactions sous l'angle de la forme des questions, il ressort des recherches de Stallings et Kasnowitz (1974) comme de celles de Soar (1973) que de bons résultats en lecture vont de pair avec de nombreuses questions simples, factuelles, convergentes. La stratégie efficace qui se déduit de ces résultats est celle d'une pratique contrôlée consistant en une séquence fonctionnelle du type : question factuelle, réponse de l'élève, action en retour de l'enseignant. Medley (1977)[6] suggère toutefois des stratégies variables selon le milieu social de l'élève.

Les mêmes recherches montrent que le travail personnel (lecture d'un livre, exercice sur livre, rédaction, etc.) est lié à la réussite en lecture.

Quant au climat de la classe, Harvey, Prather, White, Alter et Huffmeister (1966) montrent que les maîtres flexibles, sensibles aux besoins des enfants et chaleureux ont des classes dont les résultats moyens sont supérieurs à celles dont les maîtres sont rigides, autoritaires et intolérants. Washburne et Heil (*in* Morrison et McIntyre, 1969) trouvent pour leur part de meilleurs résultats moyens en lecture dans les classes dont les maîtres sont chaleureux, méthodiques et ordonnés que dans celles où ils sont consciencieux mais anxieux. Turner (1967), dans une recherche sur un échantillon de maîtres débutants, met en évidence que les maîtres ayant des difficultés à enseigner à lire manquent d'organisation, sont peu chaleureux et amicaux, n'ont pas une attitude favorable à l'égard des méthodes démocratiques.

Plus récemment, Tikunoff, Berlinger et Rist (1975) établissent que les classes conviviales, coopératives, démocratiques et

---

6. Medley a constitué une population de 289 études consacrées à la question de l'efficacité pédagogique. L'application de critères rigoureux l'a conduit à retenir de celles-ci un échantillon de 14 recherches comprenant 613 relations maître-élève, les travaux portant le plus souvent sur un milieu social défavorisé. C'est de l'analyse de ces 613 relations que Medley tire les positions rapportées ici.

chaleureuses sont celles dans lesquelles les résultats en lecture
sont bons. Les travaux examinés par Medley (1977) établissent
que les enseignants efficaces encouragent et félicitent davantage
les élèves que les autres et pratiquent moins qu'eux critiques,
moqueries et blâmes. Rosenshine et Berliner (1978) estiment
que le climat de la classe est une variable indépendante de
celles examinées jusqu'ici. Ils estiment donc tout à fait possible
d'instituer un climat chaleureux tout en mettant l'accent sur
la réussite scolaire et en adoptant un style pédagogique directif.

L'attention qu'apporte l'enseignant aux besoins individuels
de chaque élève ressort également comme une caractéristique
des classes obtenant de bons résultats en lecture, selon Rupley
(1976) et Medley (1977).

La lecture de la publication consacrée par Harris (1979) aux
recherches sur l'efficacité pédagogique du maître dans l'enseignement de la lecture permet d'évoquer quelques dimensions
complémentaires.

Plusieurs recherches citées par Harris (1979) montrent que,
quand le temps que le maître consacre spécifiquement à l'enseignement de la lecture s'allonge, la moyenne des résultats s'élève,
surtout dans les petites classes.

Le rythme de présentation des mots nouveaux en première
année peut, suivant les classes, être le même pour tous les
élèves de la classe ou varier d'un groupe d'élèves à l'autre. Les
résultats de Barr (1973-1974) montrent que, si le rythme est le
même pour tous, ce rythme est lent et les meilleurs élèves font
moins d'acquisitions que dans les autres classes. Quant aux
élèves les plus faibles, leurs résultats varient peu quelle que soit
la formule pédagogique utilisée.

L'adaptation du rythme d'enseignement aux possibilités
individuelles supposées des élèves est analysée par Tovey (1972).
Suivant une étude réalisée sur 526 élèves de première année,
8 % seulement de ceux-ci travailleraient au rythme qui leur
convient, le rythme étant donc généralement trop lent ou trop
rapide.

Le degré de difficulté du matériel permettant une réussite
optimale a fait l'objet de plusieurs études. Harris (1979, 137)
déduit de celles-ci que le maître le plus efficace n'est ni celui
qui fait travailler au niveau dit « de frustration », ni à un niveau
moyen, mais au niveau faible.

Il est intéressant de noter ici que les analyses effectuées ne demeurent pas nécessairement à un stade descriptif. Certains auteurs comme Anderson, Evertson et Brophy (1979) par exemple leur donnent en effet une suite expérimentale. En mettant sur pied une pédagogie construite sur la base de principes pédagogiques jugés efficaces dans les recherches descriptives citées, et en comparant celle-ci tant dans son déroulement que dans ses effets avec le déroulement et les effets des classes traditionnelles, ils se mettent en position de vérification expérimentale des conclusions précédentes. Sont ainsi examinées dans l'étude d'Anderson *et al.* (1979) 55 des 500 variables observées dans les 27 classes retenues. Les traitements, effectués à l'aide de l'analyse de variance à une dimension (classes expérimentales/classes contrôle), de covariance (fixation des résultats de prélecture) et de modèles de régression linéaire, confirment dans l'ensemble l'efficacité supérieure de l'enseignement directif.

Les études consacrées aux relations entre les comportements pédagogiques des maîtres et les résultats en lecture des enfants sont des recherches récentes et en plein développement auxquelles leurs auteurs considèrent qu'il serait prématuré de demander une définition complète des stratégies pédagogiques efficaces.

Par rapport aux recherches vues plus haut portant sur les méthodes de lecture et les méthodes d'enseignement, leur caractère analytique est remarquable. Consistant en effet en l'étude d'une multitude de variables traitées simultanément, elles permettent d'éviter les difficultés que rencontre dans le cadre de l'enseignement la définition du concept de « méthode ». La possibilité d'analyser une à une les diverses variables ainsi que celle de les regrouper conceptuellement est susceptible de permettre, mieux que les comparaisons globales de « méthodes », d'aller au-delà des affrontements polémiques.

En l'état actuel des recherches il est frappant d'observer l'efficacité supérieure des classes dans lesquelles l'enseignant pratique une pédagogie directive, se préoccupe de la réussite des enfants tout en faisant en sorte dans un climat néanmoins chaleureux que le temps effectif de travail de l'élève soit important.

Les auteurs qui proposent ces conclusions, peu nombreux

et encore non contestés étant donné la récence de leurs publications, invitent donc à penser que les classes dans lesquelles
ce type de principe est peu développé sont les classes dans
lesquelles les élèves rencontrent des difficultés à apprendre à
lire. Il ne fait pas de doute que sont ainsi mises en cause certaines caractéristiques des classes influencées par des principes
non directifs (voir Snyders, 1975), bien qu'un effort soit fait
pour identifier une à une des variables négatives plutôt que de
condamner une méthode pédagogique dans son ensemble.

Le fait toutefois que l'on ignore quelle est la fréquence dans
l'ensemble de la population des classes où ces comportements
se produisent empêche de penser que ce type de facteurs explique
les difficultés d'apprentissage de la lecture. La proportion dans
la population totale des classes non directives, ou des classes
où se produisent des comportements fréquents dans les classes
non directives, est en effet inconnue. L'explication suggérée
par ce courant de recherches ne peut donc être plus qu'une
hypothèse que seule une étude de la fréquence des comportements pédagogiques effectivement pratiqués dans un échantillon
représentatif de classes permettrait de valider.

5 | LE MAÎTRE

Un autre groupe de recherches s'intéresse au maître, indépendamment de la classe. Ce ne sont plus les comportements
pédagogiques qui sont jugés susceptibles d'être responsables
des difficultés d'apprentissage de la lecture, mais des caractéristiques personnelles. Celles-ci déterminent sans doute celles-là.

5.1 – Style cognitif

Comparativement aux études concernant la personnalité
des enfants, celles qui concernent la personnalité des maîtres
en relation avec les résultats des enfants apparaissent singulièrement rares dans la littérature récente.

Readence et Searfoss (1976) rapportent une expérience de
King (1972) consistant, pour une population de 83 enfants de
deuxième année, à constituer des groupes d'enfants impulsifs et

des groupes d'enfants réfléchis et à adapter les méthodes d'enseignement à leur style cognitif. Si les résultats en lecture des deux types de groupe ne s'avèrent pas différents, il apparaît toutefois que les élèves confiés à un maître réfléchi obtiennent de meilleurs résultats que les autres.

Murray et Staebler (1974) évaluent le style cognitif des maîtres non plus en termes d'impulsivité/réflexivité mais de lieu de contrôle interne/externe. Suivant Rotter (1966) le lieu de contrôle renvoie à la perception qu'ont les sujets du contrôle qu'ils ont sur leur environnement. Les sujets dits « internes » ont tendance à se juger responsables des conséquences de leurs actes. Les « externes » considèrent plutôt que celles-ci sont dues au destin, au hasard ou au pouvoir des autres. L'évaluation du lieu de contrôle s'effectue à l'aide d'échelles standardisées.

L'expérience de Murray et Staebler (1974) laisse penser que cette dimension de la personnalité du maître peut avoir un effet sur les résultats en lecture des élèves. Leur étude porte sur 90 élèves de cinquième année appartenant à sept écoles différentes. L'analyse des résultats aux tests de lecture passés en fin d'année montre que les élèves, quel que soit leur lieu de contrôle, obtiennent de meilleures notes de lecture s'ils ont des maîtres à lieu de contrôle interne que s'ils ont des maîtres à lieu de contrôle externe.

Ces expériences suggèrent que l'impulsivité ou le lieu de contrôle externe peuvent avoir un effet négatif sur l'apprentissage de la lecture des enfants.

5.2 – Expérience professionnelle et diplôme

Malmquist (1958, chap. XIII) trouve une différence significative entre les résultats en lecture des enfants, qu'il subdivise en trois groupes de niveau, et le fait que leur maître ait plus ou moins de six ans d'ancienneté : les enfants ayant un maître plus expérimenté obtiennent de meilleurs résultats en lecture.

Morris (1966), en Angleterre, met en évidence des faits du même ordre.

Bond et Dykstra (1967, 43) calculent les corrélations entre les moyennes par classe de cinq tests et l'expérience pédagogique du maître. L'étude porte sur 159 classes de première

année. Les corrélations sont positives et voisines de .30. Il
en est de même si le critère est non pas l'expérience pédagogique totale mais l'expérience pédagogique en première année.
Les auteurs décident donc de contrôler ce facteur par la suite
en comparant les méthodes expérimentales de lecture aux
méthodes traditionnelles au moyen d'analyses de covariance.
Les recherches effectuées en Suisse confirment les conclusions tirées des études conduites en Suède, en Grande-Bretagne
et aux Etats-Unis. L'étude réalisée dans le canton de Neuchâtel
montre en effet que, en première année :

> « les classes où enseignent des institutrices expérimentées l'emportent
> sur les autres classes pour l'ensemble des tests utilisés » (Cardinet et
> Weiss, *in* Weiss, 1980, 154).

Par ailleurs,

> « les résultats aux quatre tests de deuxième (année) des classes tenues en
> première par des enseignantes expérimentées sont légèrement supérieurs
> à ceux des classes tenues par des enseignantes moins expérimentées »
> (Cardinet et Weiss, *in* Weiss, 1980, 188).

Les mêmes auteurs rapportent également, pour le canton
de Vaud, des corrélations très significatives entre l'expérience
des maîtres (treize à quatorze ans de pratique en moyenne) et
les résultats obtenus par les enfants dans les tests de lecture
aux mêmes niveaux scolaires.

Le rôle du diplôme possédé par le maître a également été
examiné par Malmquist (1958, 282-283). Les corrélations entre
les évaluations de ce critère de « formation pédagogique » et
les résultats en lecture des enfants ne sont pas significatives.
On retrouve cette même conclusion chez Bond et Dykstra
(1967, 31).

5.3 – Le sexe

La féminisation du corps enseignant, particulièrement dans
les petites classes, est considérée par certains comme un facteur
susceptible d'expliquer au moins une caractéristique des résultats dans l'apprentissage de la lecture, le fait que des difficultés apparaissent plus souvent chez les garçons que chez les
filles.

Plusieurs auteurs (voir Downing, 1980, 7) estiment en effet

que l'école est « féminisée » et que ceci crée un problème pour les garçons : difficultés à s'identifier à une femme, voire attitude moins favorable aux garçons de la part de la maîtresse (Manning, 1966). Le fait que les garçons obtiennent de meilleurs résultats que les filles dans un apprentissage de laboratoire où l'accès à l'information est médiatisé par un appareil et non par une institutrice s'expliquerait précisément par l'absence de cet intermédiaire féminin selon McNeil (1964).

Dwyer (1973) estime que si tel était le cas on devrait s'attendre à ce que, en laboratoire, les résultats soient identiques pour les garçons et pour les filles plutôt que supérieurs pour les garçons. On observe de fait que dans les apprentissages de laboratoire garçons et filles obtiennent des résultats semblables ou qu'il y a supériorité des garçons ; s'il y a supériorité des garçons c'est pour Dwyer (1973, 460) la conséquence de l'intérêt que suscite chez eux l'aspect technique de la situation plutôt que l'effet d'une attitude négative de l'institutrice.

Dans la seconde partie de son expérience, McNeil (1964) observe que les réponses qu'il obtient par questionnaires et entretiens auprès des enseignants et des élèves montrent que les garçons sont en classe plus souvent l'objet de remarques négatives que les filles. Mais Dwyer fait remarquer que ces remarques sont en fait concentrées sur un petit nombre de garçons. Les études ultérieures de Davis et Slobodian (1965) et Good et Brophy (1971), qui tiennent compte de cette distinction dans leur observation des interactions en classe, confirment ce fait.

Plusieurs recherches mettent directement en relation le sexe du maître et les résultats en lecture des enfants. En examinant les résultats qu'obtiennent les garçons selon qu'ils sont enseignés par des hommes ou par des femmes, Downing (1980, 8) indique qu'à une exception près, critiquable sur le plan méthodologique, toutes les recherches concluent que le fait pour les garçons d'avoir un maître ou une maîtresse n'a pas d'effet sur leurs résultats. Des études de ce type ont été conduites, à différents niveaux scolaires. La même conclusion ressort des recherches portant sur le sexe des aides des maîtres.

Lahaderne (1976), dans une revue de question très analytique, met en cause le concept d'école « féminisée ». L'attitude qu'ont les instituteurs et les institutrices à l'égard des garçons et filles, leur « perception » de ceux-ci selon le vocabulaire de l'auteur, ne lui apparaît pas en effet indiquer de véritables différences. L'analyse qu'elle fait des travaux relatifs aux interactions en classe la conduit aux mêmes conclusions que Downing (1980) et Dwyer (1973) : il n'y a pas de traitements inégaux selon le sexe. Les huit études mettant en relation le sexe du maître et les résultats en lecture des garçons l'amènent également à conclure que le sexe de l'enseignant n'a ici aussi aucun effet. Il semblerait plutôt apparaître une tendance à ce que les garçons et les filles aient de meilleurs résultats dans les classes dirigées par des institutrices.

Une recherche ultérieure faite par Preston (1979) en Allemagne va dans le même sens. L'enseignement primaire étant en Allemagne assuré essentiellement par des hommes, cette situation facilite l'examen de ce problème. L'étude à Hambourg de nombreuses classes de quatrième année dont les enfants ont le même maître depuis le début de leur scolarité ne témoigne pas d'un avantage particulier des garçons ainsi scolarisés. Il semblerait plutôt, si l'on compare les classes tenues par des instituteurs à des classes tenues par des institutrices, que dans ces dernières les résultats des enfants, garçons ou filles, aient tendance à être plus élevés. La différence n'est toutefois pas significative.

On pourrait penser néanmoins que le sexe de l'enseignant puisse jouer un rôle dans certains cas. L'étude de Courtney et Schell (1978) amène à en douter. Analysant les résultats en lecture en sixième année de garçons dont le père est absent selon que leur enseignant est un homme (90 élèves appartenant à 40 classes) ou une femme (103 appartenant à 46 classes) par le moyen d'un dispositif pré-test/post-test en lecture, ils constatent par une analyse de covariance où le QI et le pré-test sont contrôlés, que le fait d'avoir un maître de sexe masculin n'améliore pas leurs résultats.

Les recherches effectuées convergent donc pour amener à considérer que la féminisation du corps enseignant ne peut être tenue pour responsable des difficultés d'apprentissage de la lecture des garçons.

Outre le sexe, d'autres variables différentielles du maître, le milieu social d'origine ou l'appartenance par exemple pour-

raient donner lieu à semblables études. Sachant en particulier
que l'origine et l'appartenance sociale s'élèvent (Berger, 1979),
on pourrait, de la même façon, mais peut-être sans plus de
succès, mettre ces faits en relation avec les plus grandes difficultés que rencontrent les enfants de milieu défavorisé pour
apprendre à lire. De telles études, dans le cas particulier de la
lecture, n'existent pas à notre connaissance.

5.4 – Les attentes

De la même façon que les sociologues mettent en doute la
neutralité sociale de l'école, un certain nombre de chercheurs
mettent en doute la neutralité sociale du maître. Celui-ci au
lieu d'apparaître comme un pur technicien prend figure d'individu socialement engagé. Les études psychosociales qui suivent
cette direction prennent le plus souvent la forme d'un examen
des attentes. L'hypothèse exprimée est que les attentes du
maître sont déterminantes pour les résultats en lecture des
élèves.

La recherche de Rist (1970) exprime bien ce type d'approche.
Elle consiste en l'étude longitudinale d'un groupe d'enfants
noirs, du jardin d'enfants en deuxième année. Les données
recueillies consistent en observations peu systématisées effectuées en classe pendant ces trois années. Elles suggèrent fortement que la différenciation scolaire de ce groupe d'enfants
s'effectue dès le jardin d'enfants. Le rôle que joue à cet effet
l'institutrice du jardin d'enfants est capital dans la mesure où
l'auteur indique que celle-ci, considérant que les enfants qui
s'expriment le plus aisément et sont le mieux habillés ont les
plus grandes chances de réussite scolaire, s'applique à les aider
à tirer le meilleur parti du temps de classe. Elle les place au
premier rang alors que les enfants moins bien vêtus et moins à
l'aise avec elle sont placés au fond de la classe, à un endroit où
ils ont moins de chances d'être en interaction avec la maîtresse.
Par ailleurs, la répartition des enfants en première année reposant sur des données fournies par la maîtresse de jardin d'enfants, ceci renforce l'importance de celle-ci.

Rist, dans cette étude monographique souvent citée, tente
de démontrer que ce qui est déterminant en dernier ressort
ce sont les attentes de la maîtresse, car ce sont celles-ci qui

commandent ses comportements et, par suite, les résultats des enfants.

L'étude de Rist, d'ampleur limitée et plus suggestive que démonstratrice, fait écho à l'observation effectuée peu avant en Angleterre par Goodacre (1968), qui indique que les enseignants des petites classes s'attendent à de biens meilleurs résultats en lecture des enfants de milieu favorisé que ceux qui se produisent en fait. La comparaison des écarts entre ces attentes et les performances effectives fait dire à Goodacre que les enseignants surestiment les enfants de classe moyenne et sous-estiment les enfants de milieu ouvrier.

Zimmerman (1978) présente sous une forme plus analytique un autre témoignage de la non-neutralité des enseignants vis-à-vis des caractéristiques des élèves. L'étude, conduite en France dans deux écoles primaires et trois écoles maternelles, repose sur les jugements émis par les enseignants sur les enfants. Cinq catégories de réponse sont proposées pour chaque enfant, de « cet enfant est répugnant, repoussant » à « cet enfant est attirant, plaisant ».

L'analyse des résultats en fonction de l'origine sociale (2) et ethnique (parents immigrés/parents français), du sexe et du niveau d'enseignement fait apparaître d'intéressantes différences. La mise en relation des données d'attraction-répulsion avec les jugements portés par ailleurs sur la réussite scolaire des mêmes enfants est, suivant l'auteur, conforme aux hypothèses de classe sociale et d'origine nationale mais pas de sexe.

On trouve également dans la recherche de Lefebvre (1981) une intéressante mise en relation pour 36 enfants de CP des données suivantes : milieu social (2 degrés), résultats en lecture, niveau de lecture estimé par l'enseignant (5 degrés) et attitude affective exprimée par l'enseignant (rejet-indifférence/intérêt-attachement).

Le poids des attentes sociales des enseignants est manifeste dans une expérience de docimologie différentielle de Pourtois, Bonacina, Delbecq et Segard (1977). Il apparaît en effet que les copies de français d'un groupe de 20 enfants de sixième année appartenant à la classe moyenne ne sont pas notées de la même façon par les quatre enseignants chargés de la correction selon qu'elles sont présentées dans la consigne de travail comme provenant d' « enfants issus de familles socialement favorisées » ou d' « enfants issus de familles socialement défavorisées ». Sur les trois dimensions de notation que sont l'orthographe, le fond et la forme, les correcteurs notent significativement plus haut les copies supposées provenir d'enfants de milieu défavorisé.

Noizet et Caverni (1978, chap. VIII) rapportent un ensemble d'expériences de docimologie qui, par la manipulation de l'information apportée au maître sur les élèves, montrent le rôle que jouent dans le comportement d'évaluation des variables comme le statut scolaire, l'origine socio-économique et l'origine des élèves et, côté enseignant, les variables extra-expérimentales que sont l'ancienneté, le diplôme et l'origine ethnique.

Les résultats intéressants obtenus au niveau du second degré par Pourtois *et al.* et Noizet et Caverni ne peuvent évidemment pas être généralisés à l'enseignement primaire et à la lecture, mais invitent à la reprise de telles expériences à ce niveau.

Une expérience de Miller, McLaughlin, Haddon et Chansky (1968) montre également l'influence des attentes des enseignants en fonction du milieu social et du sexe. Les enseignants ont ici à évaluer suivant les rubriques d'un questionnaire des histoires de cas dont le QI et la réussite scolaire sont comparables mais qui diffèrent par le milieu social et le sexe. Les évaluateurs produisent des jugements plus négatifs sur le niveau de lecture des cas issus de milieu défavorisé. Des différences apparaissent également selon le sexe.

La mise en évidence de ces attentes des enseignants est effectuée essentiellement avec un matériel verbal. On suppose en effet que les enseignants sont particulièrement sensibles aux différences en ce domaine. C'est ce que montrent Blodgett et Cooper (1973) dans leur étude des attitudes de 210 enseignants américains à l'égard du vernaculaire Noir américain.

Deux expériences montrent l'effet que ces attitudes relatives du langage peuvent avoir lors de l'attribution de notes. Williams, Whitehead et Miller (1973) font évaluer à 175 enseignants des enregistrements en vidéo de réponses fournies par des enfants à des questions ouvertes. Les bandes enregistrées sont le fait d'enfants blancs, noirs ou américano-mexicains. Une partie de l'évaluation demandée consiste à indiquer pour chaque enfant quel est celui des cinq niveaux scolaires pour chacune des neuf matières auquel on peut s'attendre sur la base de sa production verbale.

L'analyse des résultats montre que plus la production vocale des enfants paraît s'éloigner de la norme, plus le niveau scolaire qui lui est attribué est bas. Les attentes du maître apparaissent donc bien dépendre des caractéristiques linguistiques du locuteur comme le donnaient à penser les observations de Rist (1970).

Crowl et Mac Ginitie (1976), dans une expérience du même ordre que celle de Williams *et al.* (1973), mettent l'accent dans leur consigne sur le niveau scolaire *actuel* de l'enfant plutôt que sur celui auquel on peut s'attendre. S'inspirant du paradigme classique de Lambert en situation bilingue ou bidialectale (voir par exemple Lambert, Frankel et Tucker, 1966), ils font évaluer les mêmes textes dits en anglais standard par 6 enfants blancs de milieu favorisé et 6 enfants noirs de milieu défavorisé. Les 62 enseignants blancs participant à l'expérience doivent indiquer par une note de 1 à 10 dans quelle mesure l'enfant a répondu correctement à la question.

Le traitement des données recueillies montre que les maîtres attribuent en moyenne des notes moins élevées aux enfants noirs, bien que le contenu soit le même et que seul le mode de prononciation différencie les deux groupes. Les réponses des enseignants ne diffèrent pas par ailleurs suivant des clivages de sexe, d'âge, d'expérience pédagogique en général ou avec des enfants noirs, ou de niveau scolaire.

Cette expérience montre de quel poids pèse l'expression orale des enfants puisque sur cette seule base les notes attribuées varient significativement d'un groupe ethnique ou social à l'autre.

L'existence de tels préjugés linguistiques chez les enseignants est considérée par les auteurs de ces travaux comme susceptible d'avoir un effet négatif sur les résultats scolaires des enfants.

Il existe pourtant peu d'expériences permettant de vérifier directement l'existence d'une relation entre de tels préjugés et des résultats de lecture. Ce sont les expériences dans lesquelles l'expérimentateur introduit un biais, ou utilise un biais existant dans le groupe expérimental, afin de voir si ceci a un effet sur les résultats obtenus dans l'apprentissage de la lecture.

Si l'on s'intéresse aux effets d'attente en général, on rencontre la très célèbre expérience de Rosenthal et Jacobson (1968) dont un aspect généralement négligé au bénéfice du QI concerne la lecture :

« Quand toute l'école fut prise en considération, il ne fut trouvé de différence sensible entre les gains chiffrés des enfants du groupe expérimental et ceux du groupe contrôle que dans une seule matière : la lecture, et ce furent les enfants dont on espérait le plus de gains qui en obtinrent effectivement le plus » (Rosenthal et Jacobson, 1971, 149).

On sait toutefois que l'expérience de Dak School a été vivement critiquée (voir Carlier et Gootesdiener, 1975 ; Gilly, 1980). Ses conclusions ne peuvent donc être considérées comme acquises.

Des études du même type ont été effectuées sur le terrain par Mendels et Flanders (1973), Duseck et O'Connell (1973) mais n'ont pas obtenu de résultats témoignant d'un effet d'attente. Par contre la recherche d'Aureille, Honnorat et Leroux (1969), rapportée par Gilly (1980), conclut à une amélioration des scores en lecture par le groupe expérimental. L'expérience concerne 36 élèves en difficulté en CP appartenant à 15 classes différentes.

D'autres recherches s'intéressent aux effets d'attente, mais dans une perspective différentielle. L'expérience dans laquelle Palardy (1969) constate que selon que le maître croit ou non à une infériorité des garçons en lecture les résultats diffèrent ou non en fin d'année est assurément celle qui, fort bien contrôlée par ailleurs, témoigne le plus de l'existence d'un effet d'attente selon le sexe. Seaver (1973) démontre de la même façon l'effet que peut avoir sur les résultats de l'enfant le fait qu'un aîné ou une aînée ait été en classe auparavant avec le même enseignant.

Il est notable que, dans les expériences de Palardy (1969) et Seaver (1973), l'expérimentateur utilise les croyances de l'enseignant au lieu d'introduire artificiellement un biais dont l'effet dépend sans doute de la réceptivité de l'enseignant à son égard. Ceci peut expliquer certaines des contradictions observées d'une recherche à l'autre.

Il existe donc un ensemble important de faits plaidant pour une influence des attentes de l'enseignant sur les résultats en lecture des enfants. Il apparaît en particulier une intéressante compatibilité entre les attentes différentielles selon l'origine nationale, le milieu social et le sexe, et ce que l'on sait par ailleurs des caractéristiques des mauvais lecteurs. On notera toutefois après Gilly (1980) que, pour évaluer le rôle que joue cette variable dans le déterminisme des difficultés d'apprentissage de la lecture, il serait souhaitable de mieux connaître ses conditions d'apparition et, en l'état actuel de notre savoir, dangereux de considérer que les attentes des enseignants agissent de manière automatique sur les résultats en lecture des enfants.

6 | DISCUSSION

6.1 – Les limites de ces recherches

Les écrits produits par ceux pour qui les difficultés d'apprentissage de la lecture sont à chercher dans l'école plutôt qu'en l'enfant sont hétérogènes. Au-delà en effet de l'adoption de la position théorique qui définit l'école comme le lieu où se créent ces difficultés, il y a généralement peu de relations entre les mises en cause théoriques et les études empiriques consacrées aux facteurs scolaires.

Formulée autrement, cette hétérogénéité n'est autre que le hiatus qui existe entre la sociologie de l'éducation et la psychologie de l'éducation.

La première, encore peu spécifiée dans le domaine de l'apprentissage de la lecture et de ses problèmes, s'intéresse principalement à l'école en tant que rouage de la société globale et demeure quelque peu extérieure à ce qui se passe dans la classe de lecture.

La seconde, à l'opposé, attentive aux menus faits de la vie scolaire, a tendance à s'enfermer dans la classe et à ne pas donner dans ses hypothèses toute la place souhaitable aux possibles déterminants extérieurs.

Les deux courants diffèrent par les méthodes de travail

comme par les hypothèses avancées. Aux thèses des uns se juxta-
posent les thèses des autres. Ni complémentarité évidente, ni
contradiction apparente, les démarches sont parallèles sans
que l'on soit assuré que cet état de fait se justifie en droit
par la spécificité de l'objet de chacune. On peut penser pourtant
que, par exemple, la proposition sociologique, selon laquelle
l'existence d'un certain taux d'enfants en difficulté dans l'apprentissage de la lecture serait « nécessaire » dans une société
donnée à un moment donné, ne pourrait que gagner à se prolonger dans des études portant sur les comportements des agents
sociaux au sein de l'école. Celles-ci permettraient de voir *comment*
se réalise cette « nécessité ». Pousser son affirmation au-delà du
seuil de la salle de classe, sans abandonner à l'imagination le
soin de combler ce manque, serait certainement un moyen de
valider plus solidement ce type d'hypothèse. Sans psychologie
de l'éducation, une sociologie de l'éducation demeure incomplète.

Quand, inversement, et sur un autre exemple, la psychologie
de l'éducation ose supposer des valeurs sociales chez les
maîtres et, autorisée sans doute à le faire par tout un discours
sociologique critique, part de l'hypothèse que le maître n'est
pas neutre, on a le sentiment que, si limité que soit cet emprunt
au cadre sociologique, il permet à la connaissance d'avancer.

On peut voir dans la réalisation de certaines études récentes
une conséquence de la levée partielle d'un certain tabou,
notamment celles qui admettent que le maître est attiré ou
repoussé affectivement par ses élèves (Zimmerman, 1978) ou,
plus généralement a des attentes différentielles à leur égard
(Gilly, 1980), voire des comportements différentiels dans les
comportements d'aide (Albert *et al.*, 1981) ou de notation
(Pourtois *et al.*, 1977).

Mais une attitude de prudente réserve de la psychologie de
l'éducation à l'égard du sociologue demeure pourtant la règle.
C'est ainsi par exemple qu'il n'existe pas dans la communauté
francophone, à notre connaissance, de recherche spécifique
consacrée aux difficultés d'apprentissage de la lecture des
enfants d'immigrés. La micro-société que constitue l'école n'est
pas davantage étudiée en tant qu'organisation et les critères
selon lesquels s'effectue le choix du maître chargé de CP par
exemple demeurent inconnus dans le champ de la recherche.

Une limite majeure donc de la position qui, dans les

recherches sur les difficultés d'apprentissage de la lecture, met
l'accent sur l'école nous paraît être l'actuelle séparation des
savoirs sociologique et psychologique qui divisent ce champ.
Par ailleurs certaines positions théoriques, n'ayant guère
inspiré de recherches, demeurent au plan des principes. Il en
est ainsi tout spécialement des hypothèses selon lesquelles
les facteurs scolaires ne sont que des facteurs seconds. Des
variables aussi importantes dans le discours syndical que les
effectifs scolaires ou la formation des maîtres, l'une et l'autre
en rapport avec les résultats des enfants, ont inspiré peu de
recherches. L'opposition faite classiquement entre la classe
unique et la classe de niveau repose essentiellement sur des
informations non systématiques.

L'étude des effets éventuels du taux de mobilité ou de l'absentéisme des enseignants est peu développée. Sur ce dernier
point le travail de Bond et Dykstra (1967, 31) indique l'absence
de corrélation avec les résultats en lecture des enfants. Il
semble, en général, difficile d'adopter un point de vue rigoureusement ergonomique vis-à-vis de l'école. On peut pourtant
supposer, sur la base des rares études consacrées aux problèmes
de santé des enseignants (Amiel-Lebigre, 1973, 1974), que
l'exercice pédagogique comporte des exigences propres qui
gagneraient à être précisées.

L'investigation du rôle que peut jouer l'école dans le déterminisme des difficultés d'apprentissage de la lecture souffre
donc à la fois de la séparation des approches de style sociologique et psychologique et de la rareté des études objectives
relatives à certaines variables. La grande masse des recherches
empiriques réalisées porte en fait sur ce que nous avons appelé
les facteurs scolaires. La suite de cette discussion se rapportera
donc surtout à celles-ci.

6.2 – Les méthodes de vérification

Les recherches consacrées aux variables scolaires se distinguent des recherches examinées jusqu'ici par l'utilisation
de dispositifs d'investigation de complexité variable.

L'étude des méthodes de lecture ou celle des méthodes
d'enseignement repose sur une comparaison entre un groupe
expérimental et un groupe témoin, alors que l'analyse des

comportements pédagogiques ou celle de l'efficacité des caractéristiques du maître met en œuvre des plans de travail plus
complexes à base de corrélations.

Il semble que les recherches qui reposent sur la comparaison
d'un groupe expérimental et d'un groupe témoin connaissent
une importante difficulté à identifier exactement ce qu'elles
mesurent. Le plan de recherche ainsi mis en œuvre apparaît
comme l'équivalent de la comparaison souvent effectuée dans
les chapitres précédents entre un groupe de mauvais lecteurs et
un groupe de lecteurs ordinaires et pose donc les mêmes problèmes.

Ainsi le fait de mettre en évidence une différence entre le
groupe expérimental utilisant une méthode nouvelle (de lecture ou d'enseignement) et le groupe témoin faisant usage d'une
méthode traditionnelle ne suffit pas à affirmer que, si le groupe
expérimental obtient de meilleurs résultats, ceci est dû à
la méthode nouvelle mise en œuvre. L'usage complémentaire
d'autres méthodes nous paraît souhaitable.

Ici comme plus haut on peut se demander, en outre, s'il
n'est pas vain de vouloir retrouver sur le terrain la situation
de base de la recherche de laboratoire. La difficulté qu'il y a
à isoler les variables ou le coût qui serait nécessaire pour y
parvenir font craindre que l'adoption de ce dispositif ne soit
quelque peu vaine.

Sans doute observe-t-on que, en l'absence de presque tout
contrôle de variables, certaines relations apparaissent parfois.
Ainsi l'expérience pédagogique du maître apparaît-elle toujours
liée aux résultats en lecture des enfants. On peut toutefois
douter qu'existent dans la réalité beaucoup de variables dont
le poids soit tel qu'il permette leur identification en présence
de l'ensemble des facteurs du champ et, partant, que cette
démarche de recherche soit véritablement heuristique.

Les recherches de terrain qui traitent simultanément de
nombreuses variables, les recherches consacrées par exemple aux
comportements pédagogiques présentent les difficultés de toute
conduite à base de corrélations. Elles demandent elles aussi la
mise en évidence par d'autres méthodes de faits également com-
patibles avec l'hypothèse soutenue. Parmi les études à base
de corrélations celles qui établissent une foule de liaisons entre
les comportements pédagogiques et les résultats des enfants

sont toutefois plus crédibles que celles dont la base empirique est constituée d'une seule variable indépendante.

On notera donc, à nouveau dans ce chapitre, l'intérêt que présentent les méthodes expérimentale et longitudinale pour confirmer le rôle des variables étudiées, et la faible utilisation qui en est faite.

La méthode expérimentale consistant à reproduire en laboratoire tel aspect de la réalité jugé pertinent afin de pouvoir l'étudier à loisir est pratiquement absente de ce champ de recherches. Tout se passe comme si les facteurs n'existaient qu'en situation scolaire et ne pouvaient être abstraits de celle-ci pour être reproduits en laboratoire.

Il n'est pas interdit de penser qu'un certain piétinement caractéristique des recherches sur les méthodes par exemple disparaîtrait si les variables jugées essentielles faisaient l'objet d'études spécifiques en laboratoire. Les sciences de la nature ont depuis longtemps compris l'intérêt de cette démarche ; celle-ci est solidement implantée dans des secteurs entiers de la recherche psychologique. Le sous-secteur lecture de la psychologie de l'éducation demeure encore largement étranger à cette démarche.

La méthode longitudinale est elle aussi grandement absente de ces recherches. Cette méthode pourtant semble, mieux que toute autre, en mesure de permettre de juger de l'efficacité de telle ou telle méthode de lecture ou d'enseignement par exemple en lui imposant le critère de la durée. Décider de la supériorité d'une méthode pédagogique sans examiner ses effets pendant plusieurs années comporte un risque important d'erreurs. Une expérience pédagogique met en effet en jeu dans le groupe expérimental des facteurs de mobilisation que l'on risque de porter à tort au crédit de la méthode pédagogique elle-même.

6.3 – La causalité

L'importance qu'ont les facteurs scolaires sur les résultats en lecture des enfants est objet de débats. Si on a regroupé dans ce chapitre les auteurs qui considèrent que ces résultats dépendent principalement de la qualité de l'enseignement reçu, il s'en faut de beaucoup que cette position fasse l'unanimité.

Il est intéressant à ce propos de signaler la vigueur des

débats suscités aux Etats-Unis par la publication du rapport Coleman (Coleman *et al.*, 1966). Ce rapport consacré à la question des capacités de l'école américaine à égaliser les chances de réussite scolaire d'enfants d'ethnies, de religions ou de nationalités différentes conclut, à l'issue d'une vaste enquête empirique, que le rôle égalisateur de l'école est insignifiant.

Plusieurs ouvrages témoignent de la vivacité des échanges provoqués par cette conclusion (*Do teachers make a difference ?*, 1972 ; Averch, 1972 ; Jencks, 1972 ; Mosteller et Moynihan, 1972 ; Mayeske *et al.*, 1973 ; Levine et Bane, 1975). Celle-ci est également à l'origine de recherches ponctuelles destinées à établir des faits jusqu'alors jugés évidents. Veldman et Brophy (1974) par exemple s'attachent à montrer à l'aide d'analyses de régression multiple que la variable « maître » est parmi les variables étudiées une de celles qui est la plus liée aux résultats scolaires d'élèves de deuxième et troisième année. Ils montrent en outre que cette variable pèse d'autant plus sur les résultats que les enfants sont de milieu social défavorisé.

On ne saurait donc, au su de ces débats, considérer la question du rôle causal des facteurs scolaires comme une question académique. La question de la causalité apparaît, au contraire, comme particulièrement importante dans le cas des facteurs scolaires.

Les modèles de causalité sous-jacents aux recherches présentées dans ce chapitre sont, comme les méthodes de vérification utilisées, de complexité variable. S'il est vrai que parfois, dans le feu de la polémique, certains facteurs scolaires se voient parer de toutes les qualités ou de tous les défauts, cette radicalisation n'est pas un fait général.

C'est sans doute quand il est question de méthodes de lecture ou de méthodes d'enseignement que les positions se radicalisent le plus. La tendance à considérer telle méthode de lecture comme seule responsable des difficultés d'apprentissage de la lecture des enfants et telle autre comme solution de tous leurs problèmes relève assurément d'un modèle unicausal déjà souvent rencontré. Il en va de même quand, le débat s'élargissant, les méthodes d'enseignement traditionnelles ou modernes sont mises en cause par les uns ou par les autres et considérées d'un seul tenant comme *le* facteur auquel il faut imputer les difficultés d'apprentissage de la lecture.

Les recherches consacrées à l'analyse des comportements pédagogiques témoignent de points de vue moins unilatéraux. Ce qui caractérise en effet la recherche en ce secteur c'est le souci d'identifier *les* variables en relation avec les résultats de lecture des enfants. La volonté de condenser une multiplicité de données en une variable dite « méthode » cède ici le pas à une démarche visant à faire émerger de la masse des comportements analysés un nombre limité de facteurs (temps d'apprentissage scolaire, occasions d'apprentissage, enseignement directif...) dont dépendent les résultats des enfants. Il semble que l'on passe, ce faisant, d'un modèle unicausal à un modèle pluricausal de liste selon lequel les difficultés peuvent être imputées selon le cas à tel ou tel élément de la liste.

L'orientation synthétisante des derniers travaux en ce secteur conduit néanmoins à des listes dont les unités s'éloignent de plus en plus des comportements élémentaires observés pour prendre une valeur théorique plus affirmée.

Quelques recherches reposent sur un modèle de causalité interactif. Le développement de l'intérêt pour des variables différentielles telles que le sexe ou le milieu social est à l'origine des quelques recherches de type interactif, particulièrement quand les variables différentielles sont prises en compte chez le maître et chez l'élève. Ces recherches demeurent peu nombreuses. Elles n'épuisent même pas l'ensemble des combinaisons possibles des principales variables manipulées.

En ce qui concerne la question de l'imputation causale, ce chapitre, comme les précédents, dans la mesure où il présente le plus souvent une démarche à base de différences et de corrélations, n'échappe guère aux réserves déjà formulées à ce sujet.

Ce n'est pas parce que le groupe expérimental utilisant une méthode nouvelle obtient de meilleurs résultats que le groupe témoin utilisant une méthode classique que la méthode employée est nécessairement la cause de cette différence. Celle-ci, on l'a vu, peut être due à d'autres facteurs.

Ce n'est pas non plus parce que l'on observe une corrélation entre des comportements pédagogiques et des résultats scolaires que ceux-ci sont à imputer à ceux-là. Il n'est pas possible, face à de telles données, de décider de ce qui est cause et de ce qui est conséquence. On pourrait en l'occurrence soutenir que les comportements du maître sont en fait des réactions aux comportements des élèves ou, aussi bien, qu'il y a causalité réciproque, ou encore co-effet résultant de facteurs affectant tant les comportements du maître que ceux des élèves.

Une démarche prometteuse en ce domaine est celle de Anderson *et al.* (1979) qui, en faisant effectuer au maître des comportements pédagogiques déterminés à partir d'études antérieures à base de corrélations, soumettent ce faisant les conclusions des études antérieures à l'épreuve des faits. Une telle pratique pluriméthodologique nous paraît offrir plus de garanties de validité théorique que la pratique uniméthodologique habituelle.

Compte tenu des difficultés que présentent les recherches qui tentent de faire la preuve que les facteurs scolaires sont responsables des difficultés d'apprentissage de la lecture, il n'est guère possible de considérer que cette position ait plus que les autres fait la preuve de sa validité. Les données établies dans ce cadre connaissent des limites méthodologiques qui sont souvent celles des chapitres précédents. Ces données, comme les précédentes, ne sont pas en mesure de tenir compte de l'ensemble des informations disponibles et ne peuvent donc prétendre à constituer une conception théorique complète et non contradictoire du problème examiné.

Tout comme, en effet, les auteurs centrés sur l'enfant ignoraient le rôle des facteurs scolaires, les auteurs centrés sur les facteurs scolaires ignorent le rôle des facteurs propres à l'enfant. Quelque intérêt que présentent les études consacrées aux facteurs scolaires, elles ne permettent pas d'affirmer sans plus que l'origine des difficultés d'apprentissage de la lecture est le fait de l'école.

7 | CONSÉQUENCES PROFESSIONNELLES

Le développement récent de la position renvoyant à l'école la responsabilité des difficultés d'apprentissage de la lecture semble avoir eu pour effet premier de culpabiliser les enseignants. Ce phénomène sensible en France ne l'est pas moins aux Etats-

Unis (Smith, 1975, 239-241). Bien qu'une telle culpabilisation
n'ait généralement pas été le but visé par les chercheurs,
son existence invite à se demander si, à son tour, elle a eu
quelque effet sur les difficultés d'apprentissage de la lecture
des enfants. La réponse à une telle question constituerait
une contribution à l'étude du rôle des représentations de
l'enseignant au déterminisme des difficultés d'apprentissage
de la lecture.

Sans aller jusqu'au « pédagogisme », c'est-à-dire à l'adoption
d'une position ne faisant dépendre les résultats des enfants
que de ce qui advient dans le seul cadre scolaire, il semble
qu'un autre type de conséquence professionnelle ait été le
développement de l'action pédagogique venant cette fois de
l'institution et non plus de ses agents. Celle-ci prenne la
forme des projets d'Education compensatoire aux Etats-Unis,
de la création des GAPP ou des ZEP en France, ces réalisations
témoignent à tout le moins de la croyance des pouvoirs publics
en la possibilité d'amélioration des résultats à partir d'une
action effectuée dans le cadre scolaire.

Le développement récent des travaux portant sur la lecture,
qu'il s'agisse d'ouvrages centrés sur la pédagogie (Charmeux,
1975 ; Foucambert, 1976 ; Inizan, 1978 ; Lentin *et al.*, 1977),
des études de type génétique (Downing et Fijalkow, 1984 ;
Ferreiro et Teberosky, 1979) ou des recherches expérimentales
sur l'acte lexique (*Psychologie et éducation*, 1978 ; *Psychologie
française*, 1981), peut être considéré, dans une certaine mesure,
comme une tentative de répondre aux problèmes ainsi posés,
née de la perception des difficultés que rencontre l'enseignement
à faire face à une de ses tâches fondamentales.

CHAPITRE VI

Les perspectives :
énoncé de principes

L'examen des travaux consacrés aux difficultés d'apprentissage de la lecture nous a montré que les recherches sont le plus souvent orientées vers l'identification d'un déficit de l'enfant, que ce déficit soit d'origine organique (chap. Ier), cognitive (chap. II), socioaffective (chap. III) ou sociofamiliale (chap. IV). Quatre chapitres nous ont été nécessaires pour présenter et discuter les conceptions répondant à ce type d'orientation, contre un seul orienté vers des facteurs extérieurs à l'enfant. Cette orientation massive des recherches vers l'enfant fait problème.

1 | Principe de non-centration sur l'enfant

Un premier principe susceptible de permettre à la recherche de sortir de ses impasses actuelles est alors d'abandonner l'espoir de trouver en l'enfant et en l'enfant seulement la raison des difficultés qu'il rencontre à apprendre à lire pour considérer plutôt que, *dans la majorité des cas*, les difficultés d'apprentissage de la lecture ne sont pas imputables uniquement à l'enfant.

Il existe peu de recherches tentant de démontrer que les seuls facteurs propres à l'enfant ne suffisent généralement pas à expliquer les difficultés d'apprentissage de la lecture. Quelques données confortent néanmoins l'idée que les facteurs dits d'échec peuvent ne pas se révéler tels si l'on prend en considération l'efficacité possible des facteurs scolaires.

On a vu plus haut que dans l'expérience de Rozin *et al.* (1971) des mauvais lecteurs s'avèrent en mesure d'apprendre à lire un matériel directement significatif, démontrant ce faisant que les incapacités cognitives globales qui leur étaient prêtées ne peuvent être retenues.

Si l'on considère le problème des déficits cognitifs, quelques travaux portant sur des enfants caractérisés comme débiles intéressent notre propos. Querruel (1965) conclut ainsi une recherche effectuée sur un échantillon de 165 débiles moyens :

> « Cette enquête prouve indiscutablement que tous les enfants d'âge scolaire, classés dans la catégorie des débiles mentaux moyens, peuvent non seulement apprendre à lire, mais encore se servir efficacement dans les actes de la vie courante de cet outil intellectuel qu'est le langage écrit. Cet apprentissage peut être mené à son terme entre 10 et 13 ans pour la grande majorité d'entre eux » (Querruel, 1965, 15).

Lefavrais (1979, 178-182) montre également que la débilité ne constitue pas un obstacle infranchissable à l'acquisition de la lecture : dans sa recherche, sur les 168 élèves reconnus déficients en lecture qui atteignent le critère d'apprentissage, 78,5 % ont en effet un QI inférieur à 100. Comme Querruel, cet apprentissage n'est cependant considéré comme réalisé qu'à un âge supérieur à l'âge scolaire normal.

De très graves perturbations de la personnalité ne paraissent pas davantage en mesure d'empêcher l'enfant d'accéder à la lecture si l'on en juge par le témoignage de Ropert (1980) sur les résultats qu'elle a obtenus en hôpital psychiatrique.

La pesante relation qui unit l'origine sociale et les difficultés dans l'apprentissage de la lecture est à son tour battue en brèche par plusieurs travaux.

Aux Etats-Unis, Weber (1973) fait l'analyse de quatre écoles de ghetto dont les résultats en lecture des élèves parviennent au niveau des normes nationales. On trouve aussi dans Brookover (1981) le compte rendu d'une étude de ce type portant sur huit écoles urbaines de différents Etats américains dont les résultats scolaires sont exceptionnels. Plusieurs auteurs font également état du succès des réalisations pédagogiques de Moore dans des ghettos noirs (voir R. Cohen, 1977, 41-51). Les évaluations en lecture de certains programmes compensatoires mis en place au niveau primaire, les programmes behavioristes de Bereiter et Engelman notamment, expriment une nette diminution des difficultés d'apprentissage chez les enfants qui en font l'objet (Abelson, 1974 ; voir R. Cohen, 1977, 52-62 et Van Dromme, 1979).

Le caractère tout relatif des différences entre milieux sociaux apparaît aussi dans l'évaluation faite au Canada par Downing et Ollila (1977) de la prélecture de 787 enfants répartis en trois milieux sociaux. On relève dans celle-ci que les différences manifestes selon le niveau social dans le test initial n'apparaissent plus lors du retest. L'étude ne comporte aucune intervention de nature pédagogique entre les deux sessions de test.

Cecchini et Tonucci (voir Perret-Clermont, 1979, 16-20) poursuivent depuis plusieurs années en Italie des recherches pédagogiques auprès d'enfants de milieu défavorisé. Les premières évaluations portant sur le langage écrit montrent une supériorité des enfants des programmes expérimentaux sur les enfants des programmes traditionnels. Les écarts dans des tâches cognitives (piagétiennes notamment) et perceptives entre les enfants pris en charge et des enfants de milieu favorisé vont en diminuant du début de la première année à la fin de la deuxième année.

Sur le plan strict de la lecture nous avons nous-même réalisé une recherche-action pédagogique en Israël dans deux CP au recrutement social très modeste (Fijalkow, 1979). L'objectif fixé à celle-ci, l'acquisition par *tous* les élèves d'un savoir-lire-écrire jugé satisfaisant, témoigne de ce que, pour les enfants de milieu défavorisé, et suivant la formule du CRESAS (1981), *L'échec scolaire n'est pas une fatalité.*

Le fait enfin que des échantillons de mauvais lecteurs revus à l'âge adulte manifestent avoir acquis la maîtrise de la lecture, même si leur orthographe demeure défaillante (Owen *et al.*, 1971; Rutter, 1978), confirme, sous une forme plus globale, qu'il serait erroné de considérer les difficultés d'apprentissage de la lecture sous le seul éclairage des caractéristiques de l'enfant.

Les exemples rapportés ci-dessus montrent en effet que, dans des conditions éducatives favorables, des enfants dits « dyslexiques » « débiles », « fous » ou « handicapés socioculturels » réussissent à apprendre à lire. L'organicisme ou le psychologisme naissent de la non-prise en considération de ces conditions.

A l'attitude consistant à chercher en l'enfant un déficit ou un handicap d'où procèdent les difficultés d'apprentissage de la lecture, il paraît préférable de substituer l'attitude consistant à considérer qu'il est des enfants qui sont différents relativement à l'apprentissage de la lecture et que ces différences ne deviennent inégalités que suivant une pédagogie déterminée mais pourraient ne pas évoluer de cette façon suivant une autre pédagogie.

Le fait de poser pour principe destiné à vivifier la recherche que, dans la plupart des cas, d'autres facteurs que les caractéristiques propres de l'enfant interviennent pour expliquer les difficultés qu'il rencontre à apprendre à lire, n'interdit néanmoins pas de penser qu'il existe des cas où un très lourd déficit, de quelque nature ou origine qu'il soit, suffise à lui seul à rendre compte des problèmes rencontrés.

Il est vraisemblable que, en fait sinon en droit, c'est-à-dire dans les conditions ordinaires de vie et non dans les conditions virtuelles possibles, aux valeurs extrêmes de certaines variables correspond une forte probabilité de difficultés d'apprentissage de la lecture. Il serait souhaitable ici de faire usage de la notion de « niveau-seuil ».

Cette notion est utilisée par divers auteurs, à propos de la relation entre milieu social et réussite scolaire :

> « ... les conditions matérielles de vie ne jouent qu'en deçà d'un certain seuil » (Gilly, 1969, 13),

vie sociale et développement :

> « Un niveau minimal d'expériences d'interactions verbales et sociales semble être suffisant pour le développement des opérations logiques, tandis que les conduites de prise de rôle nécessitent probablement un niveau plus élevé » (Hollos, 1975, 648).

ou l'ensemble de ces facteurs :

> « ... L'hypothèse du déficit n'est peut-être pas à rejeter totalement. Mais elle ne concernerait que des populations restreintes, soit très défavorisées au plan économique et culturel, soit pathologique » (Moscato et Wittwer, 1978, 117).

La notion de niveau-seuil pourrait être utilisée pour la plupart des facteurs qui se sont avérés avoir quelque relation avec la lecture. En complément donc du principe posé plus haut pour la majorité des mauvais lecteurs, on peut dire que pour une minorité de ceux-ci le fait de se situer en deçà du niveau seuil de telle ou telle variable organique, cognitive, affective ou sociale, constitue pour le sujet une forte probabilité de difficultés dans l'apprentissage de la lecture, dans le cas où des variables éducatives ne viennent pas agir en sens opposé.

2 / Principe de non-centration sur l'école

Les impasses auxquelles conduit une recherche exclusivement centrée sur l'enfant peuvent amener à emprunter la voie explicative parallèle qui est celle de l'école. La tentation est forte d'adopter la position qui attribue à l'école seulement la responsabilité du problème.

Le principe à énoncer alors est que, tout comme pour l'enfant, *dans la plupart des cas*, l'école ne peut être tenue pour seule responsable des difficultés d'apprentissage de la lecture. Tenter d'expliquer les difficultés par les seuls facteurs scolaires nous paraît une tentative vouée à l'échec dans la mesure où elle ne tient pas compte des caractéristiques des sujets auxquels s'adresse l'enseignement.

Le risque afférent à une telle tentative est soit celui du sociologisme ne prenant en compte que l'institution dans une ignorance totale des sujets, soit du pédagogisme, c'est-à-dire d'un activisme professionnel maximisant le rôle de l'action pédagogique et négligeant l'école en tant qu'institution.

Un tel principe n'a cependant qu'une valeur statistique. On ne peut en effet exclure que, dans quelques cas, des facteurs scolaires suffisent à expliquer les difficultés d'apprentissage de la lecture. De tels cas doivent cependant être considérés comme exceptionnels, tout comme doivent être considérés comme exceptionnels les cas où des déficits enfantins empêchent un apprentissage réussi de la lecture.

L'utilisation ici aussi de la notion de niveau-seuil paraît souhaitable. On peut imaginer qu'existent une méthode de lecture aberrante et/ou une méthode d'enseignement productrice d'échecs et/ou des comportements pédagogiques inefficaces et/ou mettre en cause l'inexpérience du maître et/ou ses attentes médiocres. Les circonstances où des variables pédagogiques infra-liminaires suffisent à expliquer les difficultés d'apprentissage de la lecture ne sauraient être que rarissimes.

3 / *Principe d'intégration*

Les recherches effectuées tantôt sur l'enfant, tantôt sur l'école ne permettent donc pas à elles seules d'expliquer les difficultés d'apprentissage de la lecture. La question se pose alors du sort que la recherche à venir peut réserver aux facteurs mis à jour par les recherches réalisées.

Les insuffisances de celles-ci pourraient conduire à une attitude de rejet ou de sélection. Ni l'une ni l'autre ne nous paraît souhaitable. Les conditions épistémologiques (modèles de causalité) et méthodologiques dans lesquelles ont été réalisées les recherches sont telles en effet qu'il serait aventureux de considérer telle variable comme inopérante et telle autre comme opérante. La lecture de travaux réalisés le plus souvent dans une perspective unifactorielle n'est guère concluante. L'acceptation ou le refus ne sont donc pas de mise mais plutôt la reprise dans des conditions différentes. Le troisième principe qui nous paraît donc susceptible d'inspirer les recherches à venir est donc un principe d'intégration des recherches passées dans les recherches à venir.

De la multitude des travaux effectués ressortent à tout le moins un certain nombre de facteurs d'origines théoriques diverses qui, s'ils ont échoué à rendre compte à eux seuls des difficultés d'apprentissage de la lecture, n'ont cependant pas à disparaître du champ de la recherche. Leur intégration dans des paradigmes de recherche inspirés par une représentation plus complexe de la causalité devrait se révéler bénéfique au progrès des connaissances.

La recherche sur les difficultés d'apprentissage de la lecture comporte à ce jour assez de données issues d'horizons assez diversifiés pour qu'on puisse penser que le temps est venu de procéder à une concertation. Chaque conception dispose d'arguments suffisants pour convaincre du bien-fondé de la dimension qu'elle valorise mais présente à la fois trop de limitations pour pouvoir prétendre résoudre seule le problème posé.

La compétition impitoyable aussi bien que la coexistence pacifique comprise comme repliement jaloux sur son domaine propre dans l'ignorance des travaux effectués par ailleurs devraient donc faire place à des recherches intégratives capables de dépasser le statu quo. Il serait socialement naïf de sous-estimer les obstacles qui se dressent devant cette perspective, mais tout autant épistémologiquement naïf de n'en pas affirmer la nécessité.

Une telle exigence n'est d'ailleurs pas spécifique de ce champ de recherches. Elle apparaît, exprimée par Bourdieu, au sujet de la sociologie :

> « On ne peut faire avancer la science, en plus d'un cas, qu'à condition de faire communiquer des théories opposées, qui se sont souvent constituées les unes contre les autres » (Bourdieu, 1980, 740).

4 / Principe d'étude des interactions

Refusant de centrer la recherche sur l'enfant ou sur l'école, tout en affirmant l'intérêt d'une attitude intégrative, le quatrième principe, qui découle des trois précédents, consiste à préconiser des recherches dans lesquelles seraient examinés simultanément des facteurs propres à l'enfant et des facteurs propres à l'école.

Il s'agit donc de remplacer une logique du « ou » par une logique du « et », dans l'analyse théorique et dans la construction des plans de recherche. Ainsi doit-on pouvoir éviter l'erreur qui consiste à vouloir expliquer les difficultés d'apprentissage de la lecture sans prendre en considération les conditions dans lesquelles s'est déroulée la scolarité, ou l'erreur inverse qui consiste à charger l'école de tous les problèmes sans tenir compte de l'état de l'enfant au moment où a lieu l'enseignement. La reconnaissance du fait qu'il existe deux types de variables qui, dans la quasi-totalité des cas, interviennent conjointement dans la détermination des difficultés d'apprentissage de la lecture constitue, nous semble-t-il, le principe dont l'application est susceptible de permettre le passage à des recherches de « deuxième génération ».

Ce qui est préconisé ici est de cesser de poser le problème en termes d'alternative pour tenter de le penser au pluriel.

Précisons encore qu'il ne s'agit pas en l'occurrence d'adopter une conception additive consistant à considérer que les difficultés d'apprentissage de la lecture surviennent si l'enfant présente un point de fragilité et si l'école a de son côté quelque insuffisance. Ce n'est pas de l'hypothèse que les difficultés d'apprentissage de la lecture procèdent d'un cumul de conditions défavorables que peut sortir un progrès des connaissances. Celui-ci nous paraît davantage assuré si les recherches adoptent une conception multiplicative, c'est-à-dire partent du principe que le nœud du problème se trouve dans les interactions enfant-école plutôt que dans un terme ou dans l'autre, voire dans l'addition des deux.

Une telle conception revient donc à rejeter aussi bien le principe que l'enfant n'est pas adapté à l'école que celui selon lequel l'école n'est pas adaptée à l'enfant. Le principe préconisé, qui permet de définir une tierce conception, est que les difficultés d'apprentissage de la lecture se produisent chaque fois que l'enfant n'est pas adapté à l'école *telle qu'elle est généralement* ou, si l'on préfère, que l'école n'est pas adaptée à certaines catégories d'enfants *tels qu'ils sont généralement.*

La recherche inspirée par un tel principe a alors pour objet de définir les cas d'inadaptation, à partir des différentes variables léguées par les travaux antérieurs. Ces cas constituent des situations définies à la fois en termes de variables propres à l'enfant et de variables scolaires. La tâche de la recherche est d'identifier non plus les facteurs responsables des phénomènes étudiés mais, dans l'ensemble des situations possibles, les combinaisons de facteurs où les problèmes apparaissent.

Une telle position, plurielle parce qu'elle considère qu'il existe, le plus souvent, des conditions propres à l'enfant et des conditions propres à l'école dont la rencontre est génératrice de difficultés, présente aussi l'avantage de poser le problème sous forme objective plutôt que normative. Le fait de chercher à identifier les situations dans lesquelles se produisent les difficultés d'apprentissage de la lecture en définissant ces situations comme le lieu de rencontre de variables propres à l'enfant et de variables propres à l'école évite de mettre en cause l'enfant, dit « inadapté à l'école », aussi bien que de mettre en cause l'école, dite « inadaptée à l'enfant », c'est-à-dire de poser l'un comme norme et l'autre comme déviance.

On peut prendre pour exemple des changements consécutifs à l'adoption de ce principe mettant l'accent sur les interactions enfant-école le cas des études prédictives. Dans l'état actuel de la recherche, les résultats dans l'apprentissage de la lecture sont prédits sur la base de tests de prélecture passés par l'enfant avant tout enseignement systématique. La prédiction repose donc entièrement sur l'enfant. Mais on pourrait fort bien, et de manière selon nous tout aussi efficace, tenter de prédire les résultats de l'enfant en se basant sur des variables scolaires relatives à sa classe d'accueil et donc extrinsèques à l'enfant (expérience pédagogique du maître, attentes de celui-ci, temps d'apprentissage scolaire, effectifs...). Le fait que les instruments prédictifs existants reposent exclusivement sur des variables intrinsèques à l'enfant témoigne du psychologisme qui domine ce champ et du peu d'importance attribué à la pédagogie.

L'adoption de la position que nous préconisons conduirait à la construction d'instruments mixtes en quelque sorte, composés de données provenant de l'enfant et de données provenant de l'école. De tels instruments, qui pourraient être à tout le moins élaborés par additivité des critères, répondraient encore mieux à nos attentes s'ils étaient construits sur une base multiplicative (les prédicteurs étant définis par le croisement de variables des deux types).

Revenant un instant sur le plan méthodologique examiné dans la partie 3 de ce chapitre, on peut ajouter que le principe ici analysé gagnerait moins à être traduit dans les études empiriques par un renforcement du contrôle des variables de l'un ou l'autre type que par des plans de recherche qui s'efforceraient de toujours comporter des variables de chacun des deux types distingués.

Le principe d'étude des interactions, sous sa forme réduite examinée jusqu'ici, préconise la réalisation de recherches dans lesquelles les difficultés d'apprentissage de la lecture sont étudiées en fonction de variables provenant des conceptions théoriques centrées sur l'enfant et des variables mises en évidence par les auteurs qui mettent l'accent sur l'école. C'est ce type de combinaison de facteurs qui, selon nous, devrait se révéler le plus heuristique. Il n'est cependant pas le seul.

Sous sa forme générale, le principe des interactions, partant du postulat que le fait de travailler dans le cadre d'une seule conception théorique constitue aujourd'hui une des limites majeures du progrès des connaissances, consiste donc à préconiser la mise en œuvre de recherches dont les variables proviennent de conceptions théoriques différentes. Le cas évoqué jusqu'ici apparaît donc comme un des cas appartenant à l'ensemble des possibles, un cas privilégié, pensons-nous, mais un cas parmi d'autres néanmoins.

5 | *Principe des contradictions*

Passant du plan formel à celui du contenu, et mettant l'accent sur les interrelations enfant-école, nous proposons de prendre pour cinquième principe que, le plus souvent, les difficultés d'apprentissage se produisent quand il y a conflit entre l'enfant et l'école ou, plus précisément, entre telle caractéristique de l'enfant et telle caractéristique de l'école. Suivant ce principe les difficultés d'apprentissage de la lecture sont la conséquence des contradictions enfant-école qui surviennent dans certaines combinaisons des deux types de variables.

Pour être plus précis et envisager le maximum de cas possibles, il faudrait être en mesure de spécifier les variables qui, pour chacun des deux types de variables en présence, sont susceptibles d'entrer en contradiction les unes avec les autres.

En ce qui concerne l'enfant, l'abondance des recherches effectuées permet d'énumérer quelques-uns des facteurs que leur fréquente association avec des difficultés d'apprentissage de la lecture permet de considérer comme des termes de la contradiction.

Le milieu social est assurément le plus important, que celui-ci s'exprime sous forme socioprofessionnelle, ou sous forme géographique (Preteur et Fijalkow, à paraître ; Kyostio, 1980).

L'ethnicité constitue un autre facteur. Les difficultés rencontrées aux Etats-Unis par les Noirs, les Mexicano-Américains et d'autres minorités nationales sont connues (Jobert, 1978), de même qu'en France celles des enfants de travailleurs immigrés (voir par exemple *L'orientation scolaire et professionnelle*, 1980, 3), ou en Israël celles des communautés juives d'origine orientale (Bensimon-Donath, 1975). L'association fréquente des facteurs ethnicité et milieu social rend cependant difficile la dissociation des deux facteurs.

Un autre facteur, dont la présence apparaît d'autant plus que les difficultés sont grandes, est celui du sexe ou, plus précisément, le fait d'être un garçon.

L'âge enfin peut constituer un autre exemple de facteurs à prendre en considération, s'il est vrai que dans le cadre scolaire les enfants les plus jeunes ont plus de peine à se rendre maîtres de la lecture. L'homogénéisation de l'âge du début de l'enseignement formel de la lecture est sans doute responsable du fait que l'on ne dispose que de peu d'études récentes à ce sujet.

Il est plus difficile de distinguer clairement quels sont les facteurs qui, dans l'école, forment l'autre terme de la contradiction. Peu de travaux ont été consacrés à définir les facteurs qui sont associés aux difficultés d'apprentissage de la lecture. On peut certes penser à des facteurs comme l'inexpérience des maîtres, leur niveau d'attente, le temps de travail scolaire, mais ces facteurs répondent mal à notre position. Celle-ci consiste moins en effet à identifier des facteurs scolaires qui puissent être tenus pour responsables des difficultés d'apprentissage de la lecture qu'à mettre en évidence des facteurs, aussi neutres que le sont les facteurs propres à l'enfant, et qui se révèlent faire problème lorsqu'ils sont associés à certaines caractéristiques de l'enfant. Dans une telle analyse on ne considère donc pas l'Enfant mais l'enfant de milieu ouvrier, le garçon, etc., et pas davantage l'Ecole, mais telle ou telle caractéristique de celle-ci.

Deux cas limites s'imposent alors : quand certaines caractéristiques de l'enfant vont de pair avec certaines caractéristiques de l'école, l'apprentissage se déroule sans difficultés; mais il est des cas où les caractéristiques de l'enfant ne s'accordent pas à certaines caractéristiques de l'école, alors surgissent les difficultés.

Une précision supplémentaire est à apporter au sujet des contradictions évoquées. Celles-ci sont à considérer comme de nature culturelle. Ce sont des conflits d'identité culturelle qui opposent tel enfant et telle école. Ceci présuppose, mais nous ne nous étendrons pas sur ce point, que chacune des variables énoncées pour l'enfant représente une des sous-cultures de la société globale et, du point de vue du sujet, un aspect de son identité. Chaque sous-culture se manifeste dans les conduites par un style culturel original.

La situation d'enseignement est, de son côté, également analysable en termes de sous-culture, d'identité et de style culturel. Les qualificatifs d'école « capitaliste » (Baudelot et Estarlet, 1971) ou « féminine » (Lee et Gropper, 1974) expriment un effet de théorisation de l'école en termes culturels qui va à l'encontre de la représentation de neutralité traditionnelle. Ces caractéristiques culturelles de l'école demeurent cependant mal définies. On peut supposer à tout le moins qu'aux caractéristiques des enfants éprouvant des difficultés correspondent des caractéristiques contradictoires de l'institution.

Suivant le principe énoncé, les difficultés d'apprentissage de la lecture apparaissent du fait des problèmes qu'éprouve l'enfant à se plier aux normes de l'institution. Ces problèmes naissent de la contradiction qu'éprouve l'enfant à se conduire suivant ce qu'il est, son « habitus culturel », et suivant ce que l'institution lui demande d'être. L'acceptation des normes de l'institution conduirait à un reniement de soi. Les refuser prend dès lors figure de défense de l'identité personnelle.

Ces conflits d'identité peuvent certes revêtir des degrés de gravité variable, suivant sans doute l'importance de la contradiction. Le cas des enfants tsiganes est à ce propos exemplaire. Dimas voit dans « l'analphabétisme des tsiganes américains un facteur de conservation de leur culture » (1974).

Le cinquième principe que nous avons énoncé nous amène à considérer que les difficultés d'apprentissage de la lecture des enfants de milieu populaire, d'origine étrangère, des garçons, et des enfants jeunes procèdent pareillement d'une inadéquation entre ce que comporte cette caractéristique culturelle de l'enfant et les caractéristiques culturelles propres de l'institution scolaire.

Les conclusions de l'étude longitudinale de Mackler (1968) que rapportent Little et Smith (1971) sont intéressantes à indiquer ici. L'étude, conduite sur des enfants ayant réussi dans des écoles de ghetto et qui sont comparés à des enfants ayant obtenu des résultats moyen ou faible, met en évidence en effet que le succès est fonction

> « d'un comportement scolaire (ou social) tel qu'il fut acceptable », « [...] l'élève [...] a intériorisé le besoin de se comporter conformément à ce qui est demandé » (Little et Smith, 1971, 135).

L'adoption des normes culturelles de l'école par des enfants à haut risque d'échec paraît donc le plus sûr moyen d'éviter les conflits d'identité et de réussir, tandis que leur refus est source de difficultés. Le même type de conclusion apparaît dans Gilly (1980, 76-77 et 256-257).

Supposer que les contradictions enfant-école peuvent permettre d'expliquer la plupart des difficultés d'apprentissage de la lecture conduit à supposer également que l'adoption de ce principe permettrait de résoudre certaines des contradictions rencontrées par la recherche. Tel nous paraît être le cas en ce qui concerne la question de l'âge d'apprentissage.

La contradiction réside en ce qu'il est admis, d'une part, que l'enfant trop jeune éprouve des difficultés à apprendre à lire et, d'autre part, que les apprentissages précoces sont couronnés de succès. Cette contradiction se résout aisément si, au lieu de ne prendre en compte que les capacités d'apprentissage de l'enfant, on considère également les conditions d'apprentissage de celui-ci. On peut alors admettre que les caractéristiques culturelles d'un enfant jeune coïncident mal avec les caractéristiques culturelles de l'institution scolaire (exigences d'immobilité, d'attention prolongée, type de rapports interpersonnels...), d'où résultent des difficultés d'apprentissage. Quand, par contre, le style culturel de l'enseignement est adapté au style culturel de l'enfant, ce qui paraît être le cas dans les expériences d'apprentissage précoce, l'apprentissage s'effectue sans difficultés. Bien des phénomènes généralement rapportés à la maturation peuvent s'expliquer de semblable façon.

L'identification de ces contradictions peut emprunter des voies différentes. La plus cartésienne est sans doute celle qui se propose d'identifier tour à tour les termes de la contradiction chez l'enfant et dans l'école, mais il n'est pas certain qu'elle soit la plus directe.

Considérant plutôt que la salle de classe constitue le lieu où se nouent les contradictions, et donc celui où se construisent les difficultés d'apprentissage de la lecture, il convient de se représenter ce qui s'y passe comme l'objet privilégié de la recherche. L'analyse des interactions en classe, compte tenu des caractéristiques des élèves et de celles de l'école, peut constituer la voie la plus heuristique.

C'est sur un postulat de ce type que s'élabore actuellement une « ethnographie de la lecture » (McDermott, 1977) qui, au moyen d'une analyse minutieuse des communications en classe, tente d'aller au-delà de ce que peuvent apporter les mises en cause successives de l'enfant et de l'institution scolaire. Notons pour illustrer ceci que l'observation « microethnographique » de

la participation en classe révèle une meilleure participation des
élèves hawaïens aux activités scolaires de lecture si l'enseignant
met en œuvre une structure de communication conforme à celle
qui prévaut dans la communauté actuelle d'origine des enfants
(Au et Mason, 1981).

6 / Principe de secondarité

Le fait que la lecture occupe la majeure partie du temps
de travail au CP et que le niveau atteint en lecture par l'enfant
préoccupe particulièrement parents et maîtres peut amener à
penser que c'est la lecture qui est responsable des échecs scolaires. Ne lit-on pas, par exemple, sous la plume du CRESAS :

> « A cause principalement de problèmes d'apprentissage de la lecture,
> — en 1963, 29 % des enfants redoublaient le CP,
> — en 1968-1969, 21 % des enfants redoublaient le CP » (CRESAS, 1981,
> 199).

Une formulation de ce type, limitée à elle-même, nous paraît
dangereuse car elle laisse entendre que l'apprentissage de la
lecture est un apprentissage dont les caractères spécifiques
sont tels qu'ils font problème aux enfants.

Le fait que certaines de nos recherches portent précisément
sur l'acte lexique (Fijalkow *et al.*, 1980 ; Fijalkow, 1982)
et sur l'apprentissage de la lecture (Downing et Fijalkow,
1984 ; Fijalkow, 1980) montre bien que nous ne sous-estimons
nullement la spécificité psycholinguistique de l'acte de lire
et celle de son apprentissage. La lecture, en tant qu'apprentissage ou en tant que conduite, n'a, selon nous, rien à envier
a priori aux mathématiques pour ce qui est de la complexité
des opérations cognitives qu'elle nécessite. La question n'est
donc pas là.

Elle est de savoir s'il y a dans l'acte lexique quelque chose
qui, sur le plan psycholinguistique ou cognitif, constitue un
obstacle extrêmement difficile à franchir pour certains enfants.
Notre réponse est, sur ce point, négative. C'est en ce sens
qu'il faut entendre « secondarité ». Comme Goodman (1972) et
Smith (1978) par exemple, nous pensons qu'un enfant qui s'est
montré capable de comprendre et de parler la langue orale de
sa communauté possède les moyens psycholinguistiques et cogni-

tifs de comprendre des messages écrits issus de la même langue. Les difficultés d'apprentissage de la lecture ne sont donc pas à imputer à la lecture elle-même mais aux conditions dans lesquelles l'enfant a à s'en rendre maître. Nous sommes dès lors renvoyés aux contradictions évoquées un peu plus haut, c'est-à-dire aux configurations enfant-école qui font problème.

Le « à cause » du CRESAS rapporté ci-dessus prend un autre sens si on le place au sein d'une structure causale dans les éléments antérieurs de laquelle interviennent les contradictions enfant-école. Il faut entendre alors qu'un niveau insuffisant de lecture constitue un critère de sanction scolaire, le redoublement en l'occurrence. Mais, même ainsi compris, le « principalement » qui figure dans la citation nous rappelle utilement qu'il ne saurait être le seul. Qu'il soit le critère « principal » demanderait enfin à être établi par comparaison avec d'autres critères, ce qui constitue un autre problème.

Précisons qu'en énonçant un tel principe, nous ne faisons que prolonger, en mettant l'accent sur le pôle lecture, ce qui était énoncé dans le principe précédent, à savoir que l'origine première des difficultés d'apprentissage de la lecture se trouve dans les contradictions enfant-école. De ce principe préalable résulte donc que la lecture ne peut apparaître que comme un facteur secondaire.

De ce qu'il n'y a pas lieu de considérer la lecture comme « la cause » des difficultés d'apprentissage des enfants, les études récemment effectuées en France sur l'école maternelle témoignent éloquemment. Les observations attentives de tous les auteurs ayant travaillé à ce niveau (Lurcat, 1976 ; Vasquez *et al.*, 1978 ; B. Zazzo, 1978 ; Zoberman, Plaisance et Burguière, 1974) concordent pour montrer que, dans l'ensemble, les enfants en difficulté à l'école maternelle sont ceux qui seront en difficulté à l'école primaire lors de l'apprentissage de la lecture. Les caractéristiques de milieu social, ethnicité, sexe, âge, sont les mêmes. L'école maternelle c'est déjà l'école et c'est donc dans l'identification de ce qui fait contradiction entre l'enfant et l'école plutôt que dans les exigences spécifiques de l'apprentissage de l'acte de lire qu'il convient dès lors d'orienter les investigations.

Une autre façon de montrer que la spécificité de la lecture ne joue qu'un rôle somme toute mineur dans le déterminisme

des difficultés qu'éprouvent les enfants à s'en rendre maîtres
se trouve dans l'importante littérature consacrée aux différences
inter-sexes.

On a vu (chap. Ier) que la proportion de garçons en difficultés dans l'apprentissage de la lecture va croissant au fur
et à mesure que l'on descend l'échelle scolaire. Simple tendance
en prélecture et en lecture, cette proportion s'affirme si on
considère la partie inférieure des populations tout-venant, et
elle devient considérable dans le cas des populations sélectionnées. Cette augmentation progressive paraît suspecte. Il est en
effet difficile d'imaginer qu'elle reflète purement et simplement
les résultats obtenus dans l'apprentissage de la lecture.

Sur un point plus précis, celui de la proportion de garçons
dans la partie inférieure des populations tout-venant et dans
les populations sélectionnées, il y a également lieu de réfléchir.
Si l'on trouvait en effet chez les mauvais lecteurs des populations
tout-venant une proportion de garçons semblable à celle que
l'on observe dans les classes spéciales et dans les services
cliniques, on pourrait en conclure qu'il n'existe pas d'autres
facteurs de sélection de ces dernières que les difficultés d'apprentissage de la lecture, mais tel n'est pas le cas. Le fait
que l'on trouve dans la partie inférieure des résultats en
lecture de populations tout-venant une moindre proportion de
garçons que dans les populations sélectionnées amène à penser
que la lecture n'est pas le seul critère de recrutement de celles-ci.

Si l'on considère enfin la sur-représentation des garçons dans
les populations sélectionnées, il paraît peu vraisemblable que
celle-ci puisse s'expliquer par les seules difficultés d'apprentissage de la lecture.

Tout ceci amène à douter que les difficultés intrinsèques de
l'apprentissage de la lecture puissent être tenues pour seules
responsables des différences observées ici entre garçons et filles
et conduit à supposer que, au-delà de la lecture, d'autres facteurs
déterminants interviennent.

Un autre type d'information qu'apporte l'étude différentielle
selon le sexe fait douter que la lecture suffise à expliquer les
différences de réussite scolaire des garçons et des filles et
constitue donc « la cause » première des difficultés d'apprentissage de la lecture. Il s'agit de la comparaison entre l'évaluation
psychométrique de la lecture et l'évaluation subjective de celle-

ci par les maîtres. L'étude de Preston (1979) montre en effet que pour un échantillon de population tout-venant l'estimation du niveau par les maîtres indique une différence significative en faveur des filles, alors même que l'épreuve objective conclut à l'absence de différence.

Dans la mesure où l'on accepte que le test de lecture représente la mesure la plus valide, le décalage observé avec l'évaluation subjective des maîtres indique que le jugement de ceux-ci sur le niveau de lecture de l'enfant comporte autre chose que ce qu'il se propose d'appréhender. On peut en inférer que les facteurs qui biaisent ici le jugement des maîtres interviennent également lors des décisions relatives au cursus scolaire des enfants. Il en est ainsi tout particulièrement s'il est fait appel à l'évaluation subjective par le maître du niveau de lecture de l'enfant.

Les études épidémiologiques à leur tour nous amènent à considérer avec beaucoup de prudence les inférences sur le rôle que joue la lecture dans les résultats de lecture à partir d'études menées sur des populations sélectionnées.

Ces études, pour la partie qui nous intéresse ici, portent sur la fréquence et la distribution en fonction de variables différentielles (âge, sexe, milieu social, pays...) des différents troubles traités dans les services cliniques.

De deux revues de question très générales de Eisenberg (1978) et Chiland (1979) ressortent un certain nombre de faits pertinents pour notre propos. Dans ces travaux en effet la surreprésentation des garçons dans la population des consultations externes est un fait bien établi.

Aux Etats-Unis Eisenberg (1978) évalue à 71 % le pourcentage de garçons de moins de 14 ans qui fréquentent ces services. De 14 à 18 ans les différences inter-sexe disparaissent. A partir de 18 ans elles s'inversent puisque le pourcentage de femmes s'élève alors à 58 %.

Selon le même auteur, en Angleterre, le pourcentage de garçons traités pour des troubles du comportement ou de la conduite, ou pour des difficultés d'apprentissage ou des déviations du comportement (énurésie, encoprésie) varie entre 66 et 80 %.

On n'observe pas de différence inter-sexe pour les troubles affectifs névrotiques mais la psychose infantile est 2 à 3 fois

plus fréquente chez les garçons que chez les filles tant aux
Etats-Unis qu'en Europe ou au Japon. De la même façon les
enfants considérés comme retardés mentaux sont le plus souvent
des garçons.

Eisenberg conclut donc à une

> « prédominance masculine des états neuropsychiatriques les plus cou-
> rants chez l'enfant (troubles de conduite, troubles d'apprentissage et
> déficiences développementales) » (Eisenberg, 1978, 317).

Chiland, s'appuyant sur des données d'enquêtes épidémiologiques effectuées en France, constate à son tour :

> « Le nombre des garçons conduits en consultation psychiatrique l'em-
> porte nettement sur celui des filles (un peu moins de deux tiers de gar-
> çons, un peu plus d'un tiers de filles) et il ne varie pratiquement pas
> d'une année à l'autre. Malgré des différences entre les études, la tendance
> se renverse à partir de 15 ans, avec un excédent de femmes parmi les
> patients psychiatriques (Casadebaig *et al.*, 1978). Sur une période
> de 15 ans actuellement dépouillée par nous (dossiers d'enfants ayant
> consulté au centre Alfred-Binet) nous avons trouvé 61,79 % de garçons
> et 38,21 % de filles. Sur une période de six ans dépouillée par Casadebaig
> *et al.*, les chiffres étaient de 61 % et 39 % » (Chiland, 1979, 132).

La sur-représentation des garçons d'âge inférieur à 14 ou
15 ans dans les populations sélectionnées apparaît donc comme
un fait très général puisqu'il est manifeste dans tous les pays
industriels considérés et pour la majeure partie des troubles
traités. Les travaux effectués en Suisse par Bettschart *et al.*
(1978, 1980) le confirment une nouvelle fois.

Rapporté au problème qui nous préoccupe, ce fait nous
invite à ne pas limiter à la lecture la recherche de l'origine de
la disproportion du nombre de garçons dans les classes spéciales
et les consultations cliniques. Les données épidémiologiques
consolident l'hypothèse que la lecture ne peut seule être tenue
pour responsable ni de l'admission dans une classe spéciale
ni de la consultation d'un service clinique et invite à penser que
la lecture n'est que l'un des facteurs conduisant à la constitution
de ces populations.

Le cas des populations sélectionnées offre encore matière à
réflexion, en dehors de toute perspective différentielle de
sexe. On peut à ce propos s'interroger sur la nature des critères
selon lesquels elles ont été constituées. La question est, plus
précisément, de savoir si les résultats obtenus dans l'apprentis-

sage de la lecture jouent un rôle exclusif dans le processus de recrutement de ces populations. Deux types d'approche peuvent être envisagés pour répondre à cette question : l'analyse des textes réglementaires et l'observation des pratiques effectives.

La lecture des textes officiels qui, en France, définissent les critères d'orientation vers les classes spéciales de l'enseignement primaire ou des collèges montre que, s'il existe une évaluation objective obligatoire du niveau intellectuel de l'enfant, les textes ne comportent absolument pas de mesure analogue pour ce qui est de son niveau de lecture. Il n'en va pas différemment des prises en charge cliniques.

Quant aux pratiques effectives elles sont évidemment variables et si l'on peut avancer sans crainte que nombre de GAPP ou de CMPP font place à des évaluations objectives du niveau de lecture des enfants qui leur sont signalés, il ne fait guère de doute que, dans les travaux cliniques que présentent ces enfants, les difficultés en lecture ne sont que rarement exclusives, voire primordiales.

A défaut de recherches empiriques sur le poids réel de la lecture dans la constitution de ces populations, on dispose d'une recherche de A. Simon (1968) et d'un rapport d'Inizan et Tastayre (1978, 46-48) sur les données recueillies par Gasparini (1973-1974) relativement à la réussite comparée des garçons et des filles.

A. Simon (1968), dans le cadre d'une étude longitudinale du CP au CM1 de 370 enfants, met en relation les résultats obtenus à des tests de niveau mental et les redoublements. Elle indique :

> « En conclusion :
> 1º le rendement scolaire est lié au niveau mental, ce qui est bien connu des psychologues et des pédagogues,
> 2º mais, pour les garçons, un élément perturbateur (instabilité, « paresse », manque de patience...) semble nécessiter un niveau intellectuel supérieur à la moyenne pour une progression scolaire normale,
> 3º les redoublants posent un problème psychologique particulier car leur niveau mental ne paraît pas seul en cause » (1968, 162).

Il y a donc lieu de penser que ce n'est pas dans la lecture seule qu'il convient de chercher l'origine des différences scolaires entre garçons et filles.

L'étude longitudinale de Gasparini (du CP au CM1) de 44 enfants appartenant à un groupe scolaire implanté dans un milieu défavorisé fait apparaître que, à l'arrivée, 54 % des filles contre seulement 17 % des garçons n'ont jamais redoublé de classe, et que si 28 % des garçons ont redoublé au moins 2 fois, ce total ne s'élève qu'à 15 % pour les filles. Ainsi apparaît-il que les filles ont une meilleure réussite scolaire que les garçons.

On pourrait supposer que celle-ci repose sur des différences dans le niveau d'acquisition de la lecture. Les tests appliqués tout au long du cursus montrent qu'il n'en est rien : les différences entre garçons et filles en lecture ne sont jamais significatives. Il en est de même pour le calcul. La seule différence significative qui apparaisse concerne l'orthographe.

L'hypothèse que les ressources cognitives initiales soient responsables des différences observées à l'arrivée est également démentie par les faits puisque les résultats obtenus au départ à la NEMI et à la Batterie prédictive de l'apprentissage de la lecture ne permettent pas de différencier les deux sexes.

L'étude de Gasparini renforce donc la position selon laquelle il convient de ne pas surestimer le rôle de la lecture dans l'échec scolaire en général et, peut-on penser, dans la sélection des enfants en difficulté scolaire.

Les Nord-Américains, dont on connaît le souci d'objectivité et la place importante qu'occupe la mesure dans leurs pratiques, se trouvent pourtant dans une situation également confuse quant au problème du rôle de la lecture dans l'échec scolaire si l'on en juge par la teneur du débat actuel sur la différence entre *reading disability* et *learning disability* (voir par exemple Sawyer et Wilson, 1979 ; Harris, 1980).

Au travers en effet de discussions sur les critères permettant de différencier les enfants ayant des difficultés d'apprentissage en général des enfants ayant des difficultés en lecture uniquement, ou sur les rôles respectifs des différents intervenants, on perçoit la zone d'incertitude qui entoure l'identité véritable de populations institutionnellement étiquetées en termes de lecture. Il apparaît ainsi qu'en Amérique du Nord l'existence d'enfants qui ne seraient que de mauvais lecteurs n'est pas établie malgré l'usage répandu des tests de lecture, la présence de classes spéciales pour les mauvais lecteurs et la formation d'enseignants spécialisés dans les problèmes de lecture. La confusion relative de la partie avec le tout, les mauvais lecteurs avec les mauvais élèves, montre que la frontière qui sépare les deux catégories est poreuse et ce fait à son tour rend peu crédible l'hypothèse que les difficultés rencontrées dans l'apprentissage de la lecture soient le seul facteur qui se trouve à l'origine de la sélection des élèves que l'on trouve dans l'enseignement spécialisé ou les consultations cliniques.

La centration exclusive sur la lecture est responsable par ailleurs du peu d'informations dont on dispose sur les autres apprentissages scolaires en début de scolarité, à commencer par celui des mathématiques. Il est cohérent avec ce qui précède de supposer que, dans l'ensemble, les élèves ayant des difficultés en calcul devraient être les mêmes que ceux éprouvant des difficultés en lecture. Tel est bien ce qui ressort des premières analyses effectuées sur les résultats en calcul et en lecture obtenus sur un échantillon de 330 élèves issus de 16 CP (Preteur et Fijalkow, à paraître). Ceci ne met évidemment pas en doute l'éventualité de difficultés spécifiques mais fait apparaître celles-ci comme secondaires.

Formulé sous forme prospective, le principe selon lequel ce qui est déterminant dans les difficultés d'apprentissage de la lecture ce sont les contradictions enfant-école et non pas la spécificité de l'objet étudié, conduit à prédire que si, dans un futur relevant sans doute de l'utopie, l'objet d'étude principal au CP n'était plus la langue écrite mais les techniques audio-visuelles ou l'informatique, ce sont les mêmes élèves qui seraient en difficulté.

Remarquons enfin que l'énoncé d'un tel principe est plus proche de la tradition française que de la tradition anglo-saxonne. Confrontée aux difficultés scolaires des jeunes enfants, cette dernière met en effet beaucoup plus l'accent sur la spécificité de la lecture que ce n'est le cas dans la communauté francophone. On pense par exemple à la distinction aujourd'hui contestée mais institutionnelle de *Reading Disability* et de *Learning Disability* ou à l'existence des *Reading Clinics* et des *Reading Specialists* dont on ne trouve pas d'équivalents exacts dans les pays de tradition culturelle française.

7 / *Principe de continuité*

Face à la population scolaire, plusieurs attitudes sont possibles. L'une d'entre elles consiste à diviser la population en deux catégories principales : celle des « dyslexiques » et celle des non-dyslexiques. Les nombreuses études américaines qui reposent sur ce principe s'efforcent d'identifier ce qui caractérise en propre la sous-population dite « dyslexique ».

Les difficultés rencontrées à mettre à jour ces caractéristiques des dits « dyslexiques » et, en particulier. les contradictions apparues d'une étude à l'autre, ont amené certains auteurs à se demander s'il n'y a pas lieu de distinguer deux types de mauvais lecteurs, les uns qui seraient de « vrais dyslexiques » et les autres non. L'étude minutieuse conduite par Taylor *et al.* (1979) en vue de vérifier la pertinence de cette opposition aboutit à un constat de non-différence.

Le processus de différenciation continue donc, et les chercheurs procédant de cette conception s'orientent vers un modèle selon lequel il n'existerait ni une ni deux mais une pluralité de catégories de mauvais lecteurs.

Face à cette position, dont nous avons discuté plus haut les modèles de causalité sous-jacents, il nous semble préférable de poser pour principe que les difficultés d'apprentissage de la lecture n'affectent pas spécifiquement certaines catégories d'enfants, et ne constituent donc pas une variable qualitative, mais forment une variable quantitative qui concerne plus ou moins l'ensemble de la population, de manière continue.

Les études comportant plus de deux échantillons ne montrent pas la présence de difficultés dans l'apprentissage de la lecture dans un échantillon et leur absence dans les autres, mais font apparaître une graduation, en fonction du milieu social par exemple (Gilly, 1973). On a vu également que l'effet sexe se manifeste de manière plus ou moins accusée selon la population examinée. C'est donc à l'élucidation des conditions de variations qu'il convient de faire porter les travaux plutôt qu'à la recherche sans doute illusoire d'enfants présentant des difficultés spécifiques.

Au maintien d'une position de type qualitatif, expression continue de la tradition médicale, correspond également l'orientation préconisée par des chercheurs reconnus aux Etats-Unis (Guthrie, 1973 *a* ; Guthrie et Siefert, 1977) ou en Allemagne (Valtin, 1980) d'une étude approfondie de la conduite de lecture des mauvais lecteurs. Dans la mesure où l'on considère qu'il n'existe pas de catégorie(s) spécifique(s) de mauvais lecteurs, une telle orientation ne peut être tenue pour heuristique.

8 / *Principe du déterminisme relatif*

Il est, nous l'avons vu, des variables dont l'association avec les difficultés d'apprentissage de la lecture amène à penser qu'elles jouent un rôle privilégié dans le déterminisme de ces difficultés.

Notre souci d'éviter de transformer le déterminisme en fatalisme nous amène donc à affirmer suivant un huitième principe la nécessité de ne pas perdre de vue que, si forte soit la probabilité de difficultés attachées à telle variable, celle-ci n'équivaut cependant pas à une certitude.

La pluralité des variables qui interviennent dans le réseau causal dont la structure explique les difficultés d'apprentissage de la lecture fait qu'une variable isolée a peu de chances de pouvoir seule, dans la plupart des cas, provoquer des difficultés. Celles-ci proviennent, le plus souvent pensons-nous, d'une conjonction de plusieurs facteurs.

Le principe qu'une variable, si fréquemment associée soit-elle à des difficultés d'apprentissage de la lecture, ne saurait suffire à provoquer seule ces difficultés, constitue le principe du déterminisme relatif.

Le meilleur exemple que nous puissions en donner est celui du milieu social. Au fait d'être issu d'un milieu défavorisé est en effet attachée la plus forte probabilité de rencontrer des difficultés dans l'apprentissage de la lecture. Il apparaît pourtant que dans des conditions pédagogiques données, ce facteur de risque est annulé par le développement du rôle d'autres variables intervenant dans le réseau causal, comme en témoigne la recherche-action que nous avons conduite en Israël (Fijalkow, 1980). On peut ajouter que dans la mesure où, non seulement le milieu social des enfants mais aussi d'autres variables comme l'ethnicité (enfants presque exclusivement d'origine orientale), le sexe (enfants des deux sexes), l'ancienneté pédagogique (nulle pour un des deux enseignants) ou les attentes (faibles dans les deux cas) intervenaient nécessairement dans une telle recherche, le succès intégral obtenu témoigne de la relativité des déterminants des difficultés d'apprentissage de la lecture.

Embrassant un nombre important de travaux, on peut également évoquer ici les variations de l'effet sexe selon la nationalité, l'âge de l'apprenant et divers facteurs pédagogiques.

La distinction à ne pas perdre de vue est donc celle des faits et du droit. L'association fréquente qui apparaît dans les faits entre telle caractéristique de l'enfant et/ou telle variable scolaire n'est nullement nécessaire. Cette association est un état de fait et non un état de droit. Elle doit, à ce titre, être considérée comme une formation sociale et non comme une donnée de nature.

9 / Principe d'ordonnancement des recherches

Dans la mesure où l'on considère comme prioritaire de démêler quelque peu le réseau causal d'où résultent les difficultés d'apprentissage de la lecture, il apparaît souhaitable de conduire d'abord les recherches sur ce que l'on suppose premier, à savoir les conflits enfant-école. La démarche la plus fructueuse peut être d'identifier les contradictions enfant-école en situation scolaire. Il semble alors que la réalisation de dispositifs construits à partir de ce que l'on sait des facteurs favorables et défavorables chez l'enfant et dans l'institution scolaire constitue une promesse d'efficacité. C'est, en tout état de cause, sur la base des variables mises en évidence par les recherches antérieures qu'il nous paraît souhaitable de procéder.

L'étude propre des difficultés d'apprentissage de la lecture et des troubles cognitifs et socioaffectifs qui lui sont associés, c'est-à-dire la dimension de la recherche que l'on peut qualifier de « fonctionnelle », ne nous semble pouvoir être raisonnablement conduite qu'après qu'a été quelque peu démêlée la première partie de l'écheveau causal.

Ce principe d'ordonnancement de la recherche s'efforce de calquer la chronologie des travaux scientifiques sur l'organisation proposée du réseau de causalité. Il va *a contrario* de la démarche pathologique qui domine ce champ de recherche. Celle-ci part en effet des difficultés et troubles des enfants pour aller vers les facteurs explicatifs alors que nous proposons de procéder à l'inverse.

Imprimé en France
Imprimerie des Presses Universitaires de France
73, avenue Ronsard, 41100 Vendôme
Janvier 1986 — N° 31 363